D1272135

para hoy

cocina china

Diseño de esta edición: Terry Jeavons & Company

Parragon Books Ltd
Queen Street House
4 Queen Street
Bath BA1 1HE, Reino Unido

Traducción del inglés: Montserrat Ribas y Almudena Sasiain para
Equipo de Edición, S.L., Barcelona
Redacción y maquetación: Equipo de Edición, S.L., Barcelona

ISBN 978-1-4075-1035-4

Impreso en China
Printed in China

Las cucharadas indicadas en las medidas son rasas: las cucharaditas corresponden a 5 ml y las cucharadas a 15 ml. Si no se especifica otra cosa, la leche es siempre entera; los huevos y las verduras y hortalizas que se indiquen en piezas, por ejemplo, patatas, son medianos, y la pimienta, negra y recién molida.

Las recetas que llevan huevo crudo o poco hecho no están indicadas para niños, ancianos, mujeres embarazadas ni personas convalecientes o enfermas. Se desaconseja el consumo de cacahuetes o productos derivados a mujeres embarazadas o lactantes.

para hoy cocina china

introducción

A casi todo el mundo le gusta la comida china y quizá sea porque el respeto que los chinos sienten hacia su cocina se refleja en la propia comida. Consideran que el cocinar es un arte y no una obligación, y, de hecho, los platos chinos son tan atractivos a la vista como al paladar.

Su elevado número de habitantes, diseminados por lugares a veces inhóspitos donde la agricultura es difícil, ha dado lugar a un uso creativo de los ingredientes. Muchos de los cultivos, como la patata, el tomate y la berenjena, fueron introducidos por pueblos extranjeros y absorbidos por la cultura culinaria china, principalmente porque se dan bien en suelos no demasiado fértiles.

En la China tradicional, y también hoy en día, existe una evidente relación entre alimentación y salud. Este hecho se manifiesta de dos for-

mas claras. En primer lugar existe un equilibrio entre los hidratos de carbono, básicamente en forma de arroz o cereales, y el resto de alimentos, desde la carne, pescado y marisco a verduras frescas o en conserva. En segundo lugar, los alimentos se dividen además en dos grupos: yin y yang. Los alimentos yang son los «calientes», como la carne de buey, la zanahoria y la guindilla, asociadas con lo masculino, mientras que los yin son alimentos «fríos», asociados con la feminidad, como el cangrejo, el berro y el pepino. Así pues la composición de una comida tiene en cuenta no sólo los productos de la estación o los que presentan un buen aspecto en el mercado, sino también la edad, el género y el estado de salud de los comensales,

así como la meteorología.

Para comer al estilo chino, sobre todo si tiene invitados, sirva un surtido de platos con un poco de todo. Unos bonitos cuencos chinos harán la comida más atractiva y, por supuesto, los palillos le darán un toque de autenticidad.

sopas y entrantes

La sopas son básicas en la alimentación china. Casi todas ellas son un consomé ligero al que añaden un poco de carne, pescado o tofu, o en ocasiones fideos, así como verduras de temporada y hierbas aromáticas. No las sirven como en Occidente, al principio del menú, sino que las van tomando a lo largo de la comida o incluso al final. La delicada Sopa de calabaza al estilo de Sichuán, por ejemplo, refresca el paladar después de los platos picantes. Las sopas también se toman como desayuno o para picar entre horas, y llenan y alimentan lo suficiente como para ser un perfecto plato ligero para el almuerzo o la cena. La sopa de wonton es una comida por derecho propio: utilice caldo de pollo de buena calidad como base y sea generoso con el wonton.

Los chinos tampoco sirven los entrantes antes de la comida, como hacemos en Occidente, pero cuentan con un amplio surtido de tentempiés que se venden en los numerosos puestos callejeros. Los conocemos bien y nos encantan: Rollitos de primavera, Tostadas con gambas, Alitas de pollo con salsa de soja o Wontons de cangrejo crujientes. Estos platos quedan estupendos como aperitivo para una comida oriental a nuestro estilo, pero también puede añadir otros menos conocidos, como las Crepes de cebolla, los Huevos aromatizados con té y los Nidos de lechuga.

sopa de wonton

ingredientes

PARA 6 PERSONAS

30 láminas de pasta para wonton
1 clara de huevo ligeramente batida
2 cucharadas de cebolleta picada, para servir
1 cucharada cilantro picado, para adornar

para el relleno

175 g de carne de cerdo picada
225 g de gambas crudas, peladas, sin el hilo intestinal y picadas
1/2 cucharadita de jengibre picado
1 cucharada de salsa de soja clara
1 cucharada de vino de arroz de Shaoxing
2 cucharaditas de cebolleta picada
1 pizca de azúcar
1 pizca de pimienta blanca
1 chorrito de aceite de sésamo

para la sopa

2 litros de caldo de pollo
2 cucharaditas de sal
1/2 cucharadita de pimienta blanca

preparación

1 Para hacer el relleno, mezcle bien los ingredientes hasta que tengan una textura espesa y pastosa. Déjelo reposar un mínimo de 20 minutos.

2 Para preparar el wonton, ponga una cucharadita de relleno sobre el centro de cada lámina de pasta. Unte los bordes con un poco de clara de huevo, dóblelos hacia arriba y presiónelos para cerrar el wonton y darle forma de flor. Repita la operación con el resto de la masa y del relleno.

3 Lleve el caldo a ebullición y salpimiéntelo. Hierva los wontons en el caldo unos 5 minutos o hasta que la masa empiece a encogerse alrededor del relleno.

4 Para servir la sopa, ponga la cebolleta en boles individuales, a continuación el wonton y el caldo y decórela con cilantro picado.

sopa de cangrejo y maíz

ingredientes

PARA 4 PERSONAS

120 g de carne de cangrejo fresca o congelada
625 ml de agua
425 g de maíz dulce de lata, escurrido
1/2 cucharadita de sal
1 pizca de pimienta
2 cucharaditas de fécula de maíz disueltas en 2 cucharadas de agua caliente (opcional)
1 huevo batido

preparación

1 Si utiliza carne de cangrejo congelada, escáldela en agua hirviendo 30 segundos. Retírela con una espumadera y resérvela.

2 Lleve el agua a ebullición en una cacerola, con la carne de cangrejo y el maíz, y déjela a fuego suave 2 minutos. Salpimiente, añada la fécula de maíz si la utiliza y siga removiendo hasta que la sopa se haya espesado. Agregue rápidamente el huevo y sírvala.

sopa de carne picada y cilantro

ingredientes

PARA 4-6 PERSONAS

225 g de carne picada de buey
1,6 litros de caldo de pollo
3 claras de huevo ligeramente batidas
1 cucharadita de sal
1/2 cucharadita de pimienta blanca
1 cucharada de jengibre fresco picado
1 cucharada de cebolleta picada
4-5 cucharadas de cilantro picado

para el adobo

1 cucharadita de sal
1 cucharadita de azúcar
1 cucharadita de vino de arroz de Shaoxing
1 cucharadita de salsa de soja clara

preparación

1 Mezcle todos los ingredientes del adobo en un bol y deje la carne en maceración 20 minutos.

2 Lleve el caldo a ebullición. Incorpore la carne picada, deshaciendo los grumos que pueda tener y déjela a fuego suave durante 10 minutos.

3 Añada, poco a poco, la clara de huevo, removiendo rápidamente para que se formen hilos. Sazone con la sal y la pimienta.

4 Ponga el jengibre, la cebolleta y el cilantro en boles individuales y vierta la sopa encima.

sopa de tofu y brotes de soja

ingredientes

PARA 4-6 PERSONAS

280 g de costillas de cerdo troceadas
1,2 litros de agua
2 tomates despepitados y picados gruesos
3 tiras finas de jengibre fresco
140 g de brotes de soja
2 cucharaditas de sal
200 g de tofu blando en dados de 2,5 cm

preparación

1 Escalde las costillas en agua hirviendo unos 30 segundos. Espume el caldo, retire la carne y resérvela.

2 Lleve el agua medida a ebullición y añada la costilla, el tomate y el jengibre. Después de 10 minutos, retire del agua la piel del tomate. Incorpore los brotes de soja, sale y déjelo a fuego suave 1 hora. Por último, añada los dados de tofu y deje cocer la sopa 2 minutos más antes de servirla.

sopa agripicante

ingredientes

PARA 4-5 PERSONAS

3 setas chinas secas, remojadas en agua caliente 20 minutos
120 g de lomo de cerdo
50 g de brotes de bambú frescos o de lata, enjuagados (si los utiliza frescos hiérvalos primero en agua hirviendo 30 minutos)
225 g de tofu consistente
1 litro de caldo de pollo
1 cucharada de vino de arroz de Shaoxing
1 cucharada de salsa de soja clara
1 1/2 cucharadas de vinagre blanco de arroz
1 cucharadita de sal
1 cucharadita de pimienta blanca
1 huevo ligeramente batido

preparación

1 Estruje las setas para eliminar el exceso de agua, deseche los tallos leñosos y córtelas en láminas finas. Corte la carne, los brotes de bambú y el tofu en tiras finas, de tamaño similar.

2 Lleve el caldo a ebullición, eche la carne y déjela a fuego vivo 2 minutos. Incorpore las setas y el bambú y déjelos 2 minutos. A continuación, agregue el vino de arroz, la salsa de soja, el vinagre de arroz, la sal y la pimienta. Vuelva a llevarlo a ebullición, tape la cacerola y déjelo a fuego suave 5 minutos. Añada el tofu y déjelo hervir 2 minutos, sin tapar la cacerola.

3 Eche el huevo remueva rápidamente hasta que se formen hilos. Sirva la sopa enseguida.

sopa de pollo entero

ingredientes

PARA 6-8 PERSONAS

100 g de jamón de Yunán o cocido, picado
2 setas chinas secas, remojadas en agua caliente 20 minutos
85 g de brotes de bambú frescos o de lata, enjuagados (si los utiliza frescos hiérvalos primero en agua hirviendo 30 minutos)
1 pollo entero
1 cucharada de cebolleta en láminas finas
8 rodajas de jengibre fresco
225 g de carne magra de cerdo, picada
2 cucharaditas de vino de arroz de Shaoxing
3 litros de agua
2 cucharaditas de sal
300 g de col china troceada gruesa

para la salsa

2 cucharadas de salsa de soja clara
1/4 de cucharadita de aceite de sésamo
2 cucharaditas de cebolleta picada fina

preparación

1 Para hacer la salsa mezcle los ingredientes y resérvela.

2 Escalde el jamón en agua hirviendo durante 30 segundos. Espume el caldo, retire el jamón y resérvelo. Exprima las setas para eliminar el exceso de agua, deseche los tallos leñosos y córtelas en láminas finas. Corte el bambú en dados pequeños.

3 Rellene el pollo con la cebolleta y el jengibre. Ponga todos los ingredientes excepto la col y la salsa para mojar en una cacerola. Llévelo todo a ebullición, baje la temperatura, tape la cacerola y déjelo a fuego suave 1 hora. Eche la col y déjelo cocer 3 minutos más.

4 Retire la piel del pollo antes de servirlo, ponga un trozo de pollo en cada bol individual, un poco de verdura y jamón, y vierta el caldo por encima. Sirva la sopa de pollo con la salsa.

sopa de setas chinas

ingredientes

PARA 4 PERSONAS

120 g de fideos chinos al huevo finos
15 g de orejas de Judas chinas, secas, remojadas en agua caliente 20 minutos
2 cucharaditas de arrurruz o fécula de maíz
1 litro de caldo de verduras
1 trozo de jengibre fresco de 5 cm, pelado y en rodajitas
2 cucharadas de salsa de soja oscura
2 cucharaditas de mirin o jerez dulce
1 cucharadita de vinagre de arroz
4 coles chinas pequeñas, partidas por la mitad
sal y pimienta
cebollino normal o chino, fresco y troceado, para adornar

preparación

1 Hierva los fideos unos 3 minutos, hasta que se hayan ablandado, o siga las instrucciones del envase. Escúrralos bien, páselos por agua fría para detener la cocción y resérvelos.

2 Cuele las setas con un colador forrado con un paño de cocina y reserve el líquido. Ponga el arrurruz en un wok o una cazuela grande y gradualmente vaya añadiendo el líquido de las setas reservado. Puede dejarlas enteras o cortarlas, según el tamaño que tengan. Agregue el caldo de verduras, el jengibre, la salsa de soja, el mirin, el vinagre de arroz, las setas y la col, y llévelo todo a ebullición, removiendo constantemente. Reduzca la temperatura y cuézalo a fuego suave durante unos 15 minutos.

3 Salpimiente al gusto, pero recuerde que la salsa de soja es salada, así que quizá no sea necesario añadir más sal. Con una espumadera, retire los trozos de jengibre.

4 Reparta los fideos entre 4 boles, vierta la sopa por encima y adórnela con el cebollino.

sopa china de verduras

ingredientes

PARA 4-6 PERSONAS

120 g de col china
2 cucharadas de aceite de cacahuete
225 g de tofu consistente adobado, en dados de 1 cm
2 dientes de ajo en láminas diagonales finas
4 cebolletas en rodajitas diagonales
1 zanahoria en rodajitas
1 litro de caldo de verduras
1 cucharada de vino de arroz chino
2 cucharadas de salsa de soja clara
1 cucharadita de azúcar
sal y pimienta

preparación

1 Corte la col en tiras y resérvelas. Caliente el aceite en un wok o sartén precalentada, a fuego vivo, y saltee los dados de tofu de 4 a 5 minutos, hasta que estén dorados. Retírelos con una espumadera y escúrralos sobre papel absorbente.

2 Ponga el ajo, la cebolleta y la zanahoria en el wok y saltéelos 2 minutos. Eche el caldo, el vino de arroz y la salsa de soja y, después, el azúcar y las tiras de col. Cuézalo a fuego medio, removiendo, de 1 a 2 minutos, hasta que esté todo bien caliente.

3 Salpimiente y vuelva a poner el tofu en el wok. Pase la sopa a boles calientes y sírvala.

sopa de calabaza al estilo de Sichuán

ingredientes

PARA 4-6 PERSONAS

1 litro de caldo de pollo
450 g de calabaza pelada y en dados pequeños
1 cucharada de verduras en conserva picadas
1 cucharadita de pimienta blanca
120 g de cualquier tipo de col china, cortada en tiras
sal (opcional)

preparación

1 Lleve el caldo a ebullición y cueza la calabaza a fuego suave de 4 a 5 minutos.

2 Incorpore las verduras en conserva y la pimienta blanca y remueva. Añada la col y la sal, si la utiliza. Deje la sopa a fuego suave 1 minuto más y sírvala.

rollitos de gambas y cerdo

ingredientes

PARA 20 UNIDADES

120 g de tofu consistente
3 cucharadas de aceite de cacahuete o vegetal
1 cucharadita de ajo picado
50 g de carne magra de cerdo, en tiras
120 g de gambas peladas y sin el hilo intestinal
1/2 zanahoria pequeña en juliana
50 g de brotes de bambú frescos o de lata, enjuagados (si los utiliza frescos hiérvalos primero en agua hirviendo 30 minutos)
120 g de col en tiras muy finas
50 g de tirabeques en juliana
1 tortilla de 1 huevo en tiras
1 cucharadita de sal
1 cucharadita de salsa de soja clara
1 cucharadita de vino de arroz de Shaoxing
1 pizca de pimienta blanca
20 láminas para rollitos de primavera
salsa de soja con guindilla, para servir

preparación

1 Corte el tofu en lonchas horizontales y fríalo en 1 cucharada de aceite, hasta que esté dorado. Córtelo en tiras finas y resérvelo.

2 Caliente el resto del aceite en un wok o sartén precalentada y saltee el ajo hasta que desprenda aroma. Añada la carne de cerdo y remueva 1 minuto; a continuación, eche las gambas y déjelas otro minuto. Uno a uno, y removiendo bien tras cada adición, incorpore la zanahoria, el bambú, la col, los tirabeques, el tofu y por último las tiras de tortilla. Sazone con la sal, la salsa de soja, el vino de arroz y la pimienta. Remueva 1 minuto más y pase la mezcla a una fuente de servir.

3 Para montar los rollitos unte cada lámina de pasta con un poco de salsa de soja con guindilla y disponga 1 cucharadita colmada de relleno sobre la parte inferior del redondel. Enrolle el extremo hacia arriba, remetiendo los lados hacia dentro para que el relleno quede bien envuelto. Sírvalos acompañados de un bol con salsa de soja con guindilla.

empanadillas de cerdo con jengibre

ingredientes

PARA UNAS 50 UNIDADES

450 g de carne de cerdo picada, no muy magra
1 cucharada de salsa de soja clara
1½ cucharaditas de sal
1 cucharadita de vino de arroz de Shaoxing
½ cucharadita de aceite de sésamo
100 g de col picada muy fina
2 cucharaditas de jengibre fresco picado
2 cucharaditas de cebolleta picada
½ cucharadita de pimienta blanca
50 láminas de pasta para wonton, de unos 7 cm de diámetro

para la salsa

1 cucharada de salsa de soja
1 cucharada de vinagre
½ cucharadita de azúcar
1 cucharadita de jengibre picado
1 cucharadita de ajo picado

preparación

1 Para hacer la salsa, mezcle bien todos los ingredientes y resérvela.

2 Para hacer el relleno, mezcle la carne con la salsa de soja y ½ cucharadita de sal. Remueva siempre en la misma dirección, hasta obtener una pasta espesa. Vierta el vino de arroz y el aceite y siga removiendo en la misma dirección. Cúbralo y déjelo reposar 20 minutos.

3 Mientras tanto, espolvoree la col con el resto de la sal para extraer el agua. Añada el jengibre, la cebolleta y la pimienta blanca y amáselo unos 5 minutos hasta formar una pasta espesa. Añádala al relleno de carne.

4 Para las empanadillas, ponga 1 cucharada de relleno en el centro de cada lámina de pasta, sosteniéndola en la palma de la mano. Humedezca los bordes con agua y selle las empanadillas formando 2 o 3 pliegues a cada lado. Póngalas en una superficie enharinada.

5 Lleve 1 litro de agua a ebullición en una olla. Eche unas 20 unidades a la vez, removiendo con cuidado con un palillo chino para evitar que se peguen entre sí. Cuézalas 2 minutos. Destape la olla y añada 225 ml de agua fría. Llévela de nuevo a ebullición, tápela y deje hervir 2 minutos más. Sirva las empanadillas con boles individuales de salsa para mojar.

rollitos de primavera

ingredientes

PARA 25 UNIDADES

6 setas chinas secas, remojadas en agua caliente 20 minutos
1 cucharada de aceite de cacahuete o vegetal
225 g de carne de cerdo picada
1 cucharada de salsa de soja oscura
100 g de brotes de bambú frescos o de lata, enjuagados (si los utiliza frescos hiérvalos primero en agua hirviendo 30 minutos)
1 pizca de sal
100 g de gambas crudas, peladas, sin el hilo intestinal y picadas
225 g de brotes de soja despuntados y picados gruesos
1 cucharada de cebolleta picada
25 láminas de pasta para rollitos de primavera
1 clara de huevo ligeramente batida
aceite de cacahuete o vegetal, para freír

preparación

1 Estruje las setas para eliminar el exceso de agua, deseche los tallos leñosos y córtelas en láminas finas.

2 Caliente la cucharada de aceite en un wok o sartén honda precalentada y saltee la carne de cerdo hasta que cambie de color. Añada la salsa de soja, el bambú, las setas y un poco de sal. Remueva a fuego vivo 3 minutos.

3 Incorpore las gambas y saltéelas 2 minutos, eche los brotes de soja y remueva durante otro minuto. Retírelo del fuego y añada la cebolleta. Déjelo enfriar.

4 Ponga 1 cucharada de relleno sobre la parte inferior de una lámina de masa. Enróllela de modo que el relleno quede bien envuelto, remetiendo los costados hacia dentro, para que quede un rollito de unos 10 cm, y siga enrollándolo. Selle los bordes con clara de huevo.

5 Caliente el aceite en un wok o en una freidora a 180-190 °C, o hasta que un dado de pan se dore en 30 segundos. Fría los rollitos, por tandas, 5 minutos o hasta que estén dorados y crujientes. Escúrralos sobre papel absorbente y sírvalos enseguida.

raviolis con salsa picante fría

ingredientes

PARA 20 UNIDADES

20 láminas cuadradas de pasta de trigo

para el relleno

1 cucharadita de aceite de cacahuete o vegetal
200 g de carne de cerdo picada, no muy magra
1 cucharadita de sal
1/2 cucharadita de pimienta blanca

para la salsa

100 ml de aceite de cacahuete o vegetal
1 cucharada de copos de guindilla seca
1 cucharadita de aceite de sésamo
1 cucharadita de azúcar
1 cucharada de salsa de soja clara
1/2 cucharadita de pimienta blanca
1 cucharadita de sal
1 diente de ajo picado

preparación

1 Para preparar el relleno, caliente el aceite en una sartén pequeña y saltee la carne con la sal y la pimienta de 3 a 4 minutos, separándola con un tenedor y dejando que salga el jugo.

2 Para la hacer la salsa, caliente el aceite en un wok hasta que humee y eche los copos de guindilla. Déjelos enfriar y, a continuación, incorpore el resto de los ingredientes.

3 Para hacer los raviolis, sostenga una lámina de pasta en la palma de la mano y disponga una cucharadita rasa de relleno en el centro. Humedezca los bordes, dóblelos para formar un triángulo y, después, con la punta que señala hacia usted descansando sobre el dedo índice, cruce los extremos por detrás del dedo, sellándolos con un poco de agua. Coja el extremo que apunta hacia usted y dóblelo hacia arriba para formar un wonton.

4 Cueza los raviolis en agua hirviendo durante 5 minutos.

5 Sirva 4 o 5 unidades en cada plato con la salsa por encima.

alitas de pollo con salsa de soja

ingredientes

PARA 3-4 PERSONAS

250 g de alitas de pollo
250 ml de agua
1 cucharada de cebolleta en rodajitas
1 trozo de 2,5 cm de jengibre fresco, en 4 rodajas
2 cucharadas de salsa de soja clara
1/2 cucharadita de salsa de soja oscura
1 anís estrellado
1 cucharadita de azúcar

preparación

1 Lave y seque las alitas de pollo. Lleve el agua a ebullición en un cazo, eche el pollo, la cebolleta y el jengibre y deje que vuelva a hervir.

2 Incorpore el resto de los ingredientes, tape el cazo y déjelo a fuego lento 30 minutos.

3 Retire las alitas de pollo del líquido que pueda quedar y sírvalas calientes.

sardineta con guindilla verde

ingredientes

PARA 4 PERSONAS

175 g de sardineta

para la salsa

1 cucharada de aceite de cacahuete o vegetal
1 guindilla verde fresca grande
2 gotas de aceite de sésamo
1 cucharada de salsa de soja clara
1 pizca de sal
1 pizca de azúcar
1 diente de ajo picado

preparación

1 Cueza el pescado en agua hirviendo entre 30 segundos y 2 minutos, hasta que esté tierno pero sin que llegue a desmenuzarse. Escúrralo y déjelo enfriar.

2 Para preparar la salsa, caliente primero el aceite en una sartén pequeña y cuando humee fría la guindilla hasta que la piel se desprenda. Retire la piel y pique la guindilla bien fina. Cuando esté fría, mézclela con el resto de los ingredientes.

3 Sirva la sardineta con la salsa por encima.

tostadas con gambas

ingredientes

PARA 16 UNIDADES

100 g de gambas peladas y sin el hilo intestinal
2 claras de huevo
2 cucharadas de fécula de maíz
1/2 cucharadita de azúcar
1 pizca de sal
2 cucharadas de hojas de cilantro picadas
2 rebanadas de pan de molde del día anterior
aceite de cacahuete o vegetal, para freír

preparación

1 Maje las gambas en un mortero.

2 Mezcle la pasta de gambas con una de las claras de huevo y 1 cucharada de fécula de maíz. Añada el azúcar, la sal y el cilantro. Mezcle la otra clara de huevo con el resto de la fécula de maíz.

3 Retire la corteza del pan y corte cada rebanada en 8 triángulos. Unte la parte superior con la mezcla de clara de huevo y fécula de maíz, disponga 1 cucharadita de pasta de gambas y alise la superficie.

4 Caliente el aceite suficiente en un wok o en una freidora a 180-190 °C, o hasta que un dado de pan se dore en 30 segundos. Sin poner demasiadas a la vez, fría las tostadas con el lado de las gambas hacia arriba durante 2 minutos. Deles la vuelta y fríalas unos 2 minutos más, hasta que empiecen a dorarse. Escúrralas sobre papel absorbente y sírvalas calientes.

wontons de cangrejo crujientes

ingredientes

PARA 24 UNIDADES

175 g de carne blanca de cangrejo, escurrida si es de lata o descongelada si es congelada, y desmenuzada
50 g de castañas de agua de lata, escurridas, enjuagadas y picadas
1 guindilla roja fresca pequeña, picada
1 cebolleta picada
1 cucharada de fécula de maíz
1 cucharadita de jerez seco
1 cucharadita de salsa de soja clara
1/2 cucharadita de zumo de lima
24 láminas de pasta para wonton
aceite vegetal, para freír
rodajas de lima, para adornar

preparación

1 Para hacer el relleno, mezcle en un cuenco la carne de cangrejo con las castañas de agua, la guindilla, la cebolleta, la fécula de maíz, el jerez, la salsa de soja y el zumo de lima.

2 Extienda las láminas para wonton sobre una superficie de trabajo y reparta el relleno colocándolo en el centro de cada lámina.

3 Humedezca los bordes con un poco de agua y dóblelos para formar triángulos. Doble los 2 extremos puntiagudos hacia el centro, humedézcalos con un poco de agua para sujetarlos y pellízquelos para sellarlos.

4 Caliente el aceite en una freidora, en una sartén honda de base gruesa o en un wok a 180-190 ºC, o hasta que un dado de pan se dore en 30 segundos, y fría los wontons por tandas durante 2 o 3 minutos, hasta que estén dorados y crujientes. Si fríe demasiados a la vez bajará la temperatura del aceite y quedarán blandos y aceitosos.

5 Retire los wontons con una espumadera, escúrralos sobre papel absorbente y sírvalos calientes, adornados con rodajas de lima.

pepinos encurtidos

ingredientes

PARA 4 PERSONAS

1 cucharada de aceite de cacahuete o vegetal, para freír
400 g de pepinos pequeños
525 g de vinagre blanco de arroz
1 cucharada de sal
3 cucharadas de azúcar
3 guindillas tailandesas rojas, sin semillas y picadas

preparación

1 Caliente el aceite en un wok o sartén honda y fría los pepinos de 3 a 5 minutos, o hasta que adquieran un color verde intenso. Escúrralos y resérvelos. Cuando se hayan enfriado, pínchelos uniformemente y colóquelos en una fuente.

2 Mezcle el vinagre con la sal, el azúcar y la guindilla y viértalo sobre los pepinos, dejándolos sumergidos en el líquido. Déjelos 24 horas en maceración y después sírvalos fríos, cortados en trozos.

nidos de lechuga

ingredientes

PARA 12 NIDOS

100 g de fideos de celofán
3 cucharadas de mantequilla de cacahuete crujiente
2 cucharadas de vinagre de arroz
1 cucharada de salsa de ostras
aceite de cacahuete o de girasol (opcional)
salsa de soja
4 rábanos rojos rallados
2 zanahorias peladas y ralladas gruesas
1 calabacín rallado grueso
120 g de maíz dulce de lata, escurrido
12 hojas grandes de lechuga tipo iceberg, lavadas y secas

para la salsa

10 cucharadas de vinagre de arroz
4 cucharadas de miel fluida
2 cucharadas de aceite de sésamo
1 cucharadita de salsa de guindilla
1 trozo de jengibre pelado y picado

preparación

1 Ponga los fideos en un cuenco, cúbralos con agua tibia y déjelos en remojo durante unos 20 minutos, o siga las instrucciones del envase, hasta que se hayan ablandado. Escúrralos, páselos por agua fría y córtelos en trozos de 7,5 cm.

2 Bata la mantequilla de cacahuete con el vinagre de arroz y la salsa de ostras en un cuenco grande, añadiendo un poco de aceite para suavizar la mezcla si fuera necesario. Eche los fideos, remuévalos para que queden bien empapados y agregue salsa de soja al gusto. Cúbralos y déjelos en el frigorífico hasta unos 15 minutos antes de servirlos.

3 Mientras tanto, mezcle todos los ingredientes de la salsa en un bol.

4 Justo antes de servir el plato, incorpore los rábanos, la zanahoria, el calabacín y el maíz, y páselo todo a una fuente de servir. Cada comensal debe tomar una hoja de lechuga y con los palillos chinos o un tenedor servirse unos cuantos fideos y enrollarlos con la hoja de lechuga (al final quedan como rollitos de primavera). Se comen mojándolos en la salsa.

crepes de cebolla

ingredientes

PARA UNAS 16 UNIDADES

4 cucharadas de aceite
4 cucharadas de cebolleta picada
2 huevos, más 2 yemas extra
200 g de harina
1 cucharadita de sal
425 ml de leche
225 ml de agua

preparación

1 Caliente 1 cucharada de aceite en una sartén y fría la cebolleta hasta que empiece a estar tierna. Retírela y resérvela.

2 Bata los huevos ligeramente, junto con las yemas extra, y resérvelos. Tamice la sal y la harina sobre un cuenco y agregue con cuidado los huevos.

3 Poco a poco, vierta la leche y el agua, batiendo manualmente, hasta obtener una pasta cremosa. Añada el resto del aceite y siga batiendo unos minutos más. Por último, agregue la cebolleta.

4 Vierta 1 cucharón de pasta en una sartén antiadherente y deje que la crepe cuaje, pero sin que llegue a dorarse. Para servirlas, enróllelas sin apretar demasiado y córtelas en 3 trozos.

rollitos de primavera vegetarianos

ingredientes

PARA 20 UNIDADES

6 setas chinas secas, remojadas en agua caliente 20 minutos
50 g de fideos de celofán, remojados en agua caliente 20 minutos
2 cucharadas de aceite de cacahuete o vegetal
1 cucharada de jengibre fresco picado
100 g de zanahoria en juliana
100 g de col en tiras finas
1 cucharada de cebolleta en rodajitas
1 cucharada de salsa de soja clara
85 g de tofu blando en daditos
1/2 cucharadita de sal
1 pizca de pimienta blanca
1 pizca de azúcar
20 láminas de pasta para rollitos de primavera
1 clara de huevo ligeramente batida
aceite de cacahuete o vegetal, para freír
salsa de soja, para mojar

preparación

1 Exprima las setas para eliminar el exceso de agua, deseche los tallos leñosos y píquelas finas. Escurra los fideos de celofán y píquelos gruesos.

2 Caliente el aceite en un wok o sartén honda precalentada y saltee el jengibre hasta que desprenda aroma. Eche las setas y saltéelas 2 minutos. Incorpore la zanahoria, la col y la cebolleta y déjelas 1 minuto. Añada los fideos y la salsa de soja y saltéelos otro minuto. Agregue el tofu y déjelo 1 minuto más. Sazone con la sal, la pimienta y el azúcar y remuévalo bien. Siga salteando de 1 a 2 minutos más o hasta que la zanahoria esté tierna. Retírelo del fuego y deje enfriar la mezcla.

3 Ponga 1 cucharada rasa de mezcla en la parte inferior de una lámina de pasta, enróllela envolviendo bien el relleno y remetiendo los costados hacia dentro para obtener un rollito de unos 10 cm. Selle los bordes con clara de huevo.

4 Caliente el aceite en un wok o en una freidora a 180-190 °C, o hasta que un dado de pan se dore en 30 segundos. Fría los rollitos, por tandas, 5 minutos o hasta que estén dorados y crujientes. Sírvalos con salsa de soja.

huevos aromatizados con té

ingredientes

PARA 6 PERSONAS

6 huevos

unos 525 ml de agua

2 cucharadas de hojas de té negro

preparación

1 En una cacerola, lleve a ebullición el agua justa para recubrir los huevos. Cueza éstos durante 10 minutos. Retírelos del agua y golpee ligeramente las cáscaras con el dorso de una cuchara para romperlas.

2 Vuelva a llevar el agua a ebullición y deje las hojas de té a fuego suave 5 minutos. Apague el fuego. Sumerja los huevos en el té y déjelos hasta que éste se haya enfriado.

3 Sirva los huevos enteros para el desayuno o como parte de una comida, sin cáscara o con cáscara, que es la forma más tradicional.

platos principales

Uno de los grandes atractivos de la cocida china es que se tarda muy poco tiempo en prepararla. Tendemos a pensar que los estofados requieren una cocción lenta, pero el Estofado de cordero al estilo de Xinjiang está listo para servir en menos de 45 minutos, y éste es el plato que más tiempo requiere de este capítulo. Incluso las recetas que precisan un poco de tiempo para preparar los ingredientes o macerar la carne o el pescado, sólo necesitan unos minutos de cocción.

Los platos chinos se preparan con rapidez gracias al wok, el utensilio básico de la cocina oriental. Su forma cóncava permite que el calor se distribuya de forma rápida y uniforme y los alimentos se saltean el tiempo justo hasta que están cocidos. Las verduras conservan su color y valor nutritivo, mientras que la carne, que suelen cortar en trocitos, queda hecha enseguida con todo su jugo, lo que la hace suculenta y deliciosa. Los sabores de productos como el jengibre y la guindilla aportan un toque interesante y las salsas sazonan los ingredientes y el arroz o los fideos que casi siempre acompañan la comida.

El pescado también lo preparan salteado, o bien frito o al vapor: el Lenguado al vapor con salsa de habichuelas negras puede prepararse en papillote y su sabor es maravilloso.

buey macerado con verduras

ingredientes

PARA 4 PERSONAS

500 g de carne de cuarto trasero de buey, en tiras finas
3 cucharadas de aceite de sésamo
1/2 cucharada de fécula de maíz
1/2 cucharada de salsa de soja
1 brécol dividido en ramitos
2 zanahorias en juliana
125 g de tirabeques
125 ml de caldo de carne
250 g de espinacas tiernas en tiras
arroz o fideos recién cocidos, para acompañar

para el adobo

1 cucharada de jerez seco
1/2 cucharada de salsa de soja
1/2 cucharada de fécula de maíz
1/2 cucharadita de azúcar fino
2 dientes de ajo picados
1 cucharada de aceite de sésamo

preparación

1 Para preparar el adobo, mezcle en un cuenco el jerez con la salsa de soja, la fécula de maíz, el azúcar, el ajo y el aceite de sésamo. Eche la carne y cúbrala con film transparente. Déjela macerar 30 minutos y, a continuación, retírela y deseche el adobo.

2 Caliente 1 cucharada del aceite de sésamo en una sartén o wok y saltee la carne durante unos 2 minutos, hasta que esté medio hecha. Retírela y resérvela.

3 En un bol, disuelva la fécula de maíz en la salsa de soja y resérvela. Ponga las 2 cucharadas de aceite de sésamo restantes en la sartén y saltee el brécol, la zanahoria y los tirabeques 2 minutos.

4 Vierta el caldo, cubra la sartén y déjelo 1 minuto. Incorpore las espinacas, la carne y la mezcla de fécula de maíz. Déjelo cocer hasta que el jugo hierva y se espese. Sírvalo sobre un lecho de arroz o fideos recién cocidos.

chop suey de buey

ingredientes

PARA 4 PERSONAS

450 g de lomo alto o de solomillo de buey, cortado en lonchitas
1 brécol dividido en ramitos
2 cucharadas de aceite de cacahuete o vegetal
1 cebolla en rodajas finas
2 ramas de apio en rodajitas
225 g de tirabeques partidos por la mitad a lo largo
50 g de brotes de bambú frescos o de lata, enjuagados (si los utiliza frescos hiérvalos primero en agua hirviendo 30 minutos)
8 castañas de agua en rodajitas
225 g de champiñones en láminas finas
1 cucharada de salsa de ostras
1 cucharadita de sal

para el adobo

1 cucharada de vino de arroz de Shaoxing
1 pizca de pimienta blanca
1 pizca de sal
1 cucharada de salsa de soja clara
1/2 cucharadita de aceite de sésamo

preparación

1 Mezcle los ingredientes del adobo en un cuenco y deje macerar la carne un mínimo de 20 minutos. Escalde el brécol en una olla de agua hirviendo 30 segundos. Escúrralo y resérvelo.

2 Caliente 1 cucharada de aceite en un wok o en una sartén honda precalentada y saltee la carne hasta que cambie de color. Retírela y resérvela.

3 Caliente el resto del aceite en un wok o en una sartén honda limpia y saltee la cebolla 1 minuto. Añada el apio y el brécol y saltéelos un par de minutos. Eche los tirabeques, el bambú, las castañas de agua y los champiñones y déjelos 1 minuto. Agregue la carne, condimente con la salsa de ostras y la sal y sirva el plato enseguida.

buey picante con sésamo

ingredientes

PARA 4 PERSONAS

500 g de filete de buey en tiras finas

$1^{1}/_{2}$ cucharadas de semillas de sésamo

125 ml de caldo de carne

2 cucharadas de salsa de soja

2 cucharadas de jengibre fresco rallado

2 dientes de ajo picados

1 cucharadita de fécula de maíz

$^{1}/_{2}$ cucharadita de copos de guindilla

3 cucharadas de aceite de sésamo

1 brécol grande en ramitos

1 pimiento naranja en tiras finas

1 guindilla roja sin semillas y en tiras finas

1 cucharada de aceite de guindilla, al gusto

1 cucharada de cilantro fresco picado, para adornar

preparación

1 En un bol mezcle las tiras de carne con 1 cucharada de semillas de sésamo. En otro bol mezcle el caldo de buey con la salsa de soja, el jengibre, el ajo, la fécula de maíz y los copos de guindilla.

2 Caliente 1 cucharada de aceite de sésamo en un wok o sartén grande. Saltee las tiras de carne 2 o 3 minutos. Retírelas y resérvelas.

3 Deseche el aceite de la sartén y límpiela con papel absorbente para retirar las semillas de sésamo que pudieran quedar. Caliente el resto del aceite y saltee el brécol, el pimiento, la guindilla; vierta el aceite de guindilla si lo utiliza. Agregue el caldo, cúbralo y déjelo a fuego suave 2 minutos.

4 Vuelva a poner la carne en la sartén y déjela hasta que el jugo se haya espesado, removiendo de vez en cuando. Cuézala 1 o 2 minutos más.

5 Espolvoree el plato con el resto de las semillas de sésamo y sírvalo adornado con el cilantro picado.

buey salteado con brécol y jengibre

ingredientes

PARA 4-6 PERSONAS

350 g de solomillo de buey en tiras finas
175 g de brécol dividido en ramitos
2 cucharadas de aceite de cacahuete o vegetal
1 diente de ajo picado
1 cucharadita de jengibre picado
1 cebolla pequeña en rodajas finas
1 cucharadita de sal
1 cucharadita de salsa de soja clara

para el adobo

1 cucharada de salsa de soja clara
1 cucharadita de aceite de sésamo
1 cucharadita de vino de arroz de Shaoxing
1 cucharadita de azúcar
1 pizca de pimienta blanca

preparación

1 En un bol, mezcle los ingredientes del adobo y eche la carne. Cúbrala y déjela macerar 1 hora, dándole la vuelta de vez en cuando para que quede bien impregnada. Escalde el brécol en una olla de agua hirviendo durante 30 segundos, escúrralo y resérvelo.

2 Caliente 1 cucharada de aceite en un wok o en una sartén honda precalentada y saltee el ajo, el jengibre y la cebolla 1 minuto. Incorpore el brécol y saltéelo 1 minuto. Retírelo del wok y resérvelo.

3 En el wok o sartén limpia y precalentada caliente el resto del aceite y saltee la carne hasta que cambie de color. Vuelva a poner la mezcla de brécol en la sartén, con la sal y la salsa de soja, y remueva hasta que esté todo hecho. Sirva el plato enseguida.

buey al jengibre con pimientos amarillos

ingredientes

PARA 4 PERSONAS

500 g de solomillo de buey en dados de 2,5 cm
2 cucharaditas de aceite de cacahuete
2 dientes de ajo machacados
2 cucharadas de jengibre fresco rallado
1 pizca de copos de guindilla
2 pimientos amarillos en tiras finas
125 g de mazorquitas de maíz
175 g de tirabeques
tallarines calientes rociados con aceite de sésamo, para acompañar

para el adobo

2 cucharadas de salsa de soja
2 cucharadas de aceite de cacahuete
1½ cucharaditas de azúcar lustre
1 cucharadita de fécula de maíz

preparación

1 Para hacer el adobo, mezcle en un cuenco la salsa de soja, el aceite de cacahuete, el azúcar y la fécula de maíz. Eche los dados de carne, cúbralos con film transparente y déjelos macerar 30 minutos.

2 Caliente el aceite de cacahuete en un wok o sartén a fuego medio y saltee el ajo, el jengibre y los copos de guindilla 30 segundos. Añada el pimiento amarillo y las mazorquitas de maíz y saltéelos 2 minutos. Incorpore los tirabeques y déjelos 1 minuto más.

3 Retire las verduras de la sartén y saltee los dados de carne con el líquido del adobo de 3 a 4 minutos, o hasta que estén a su gusto. Vuelva a poner las verduras en la sartén, mézclelo todo bien y espere a que esté bien caliente. Retírelo del fuego y sírvalo con tallarines para acompañar.

arroz con cordero al estilo de Xinjiang

ingredientes

PARA 6-8 PERSONAS

2 cucharadas de aceite de cacahuete o vegetal
300 g de carne de cordero o carnero, en dados
2 zanahorias picadas gruesas
2 cebollas picadas gruesas
1 cucharadita de sal
1 cucharadita de jengibre molido
1 cucharadita de granos de pimienta de Sichuán, ligeramente tostados y machacados
450 g de arroz de grano corto o mediano
1 litro de agua

preparación

1 Caliente el aceite en una cazuela de barro grande y saltee la carne 1 o 2 minutos, hasta que esté uniformemente dorada. Eche la zanahoria y la cebolla y saltéelas hasta que empiecen a estar tiernas. Agregue la sal, el jengibre y los granos de pimienta y remueva.

2 Incorpore el arroz y el agua y llévelo a ebullición. Cubra la cazuela y déjelo cocer a fuego suave 30 minutos o hasta que el arroz haya absorbido todo el líquido. Sírvalo como plato único o como parte de una comida.

estofado de cordero al estilo de Xinjiang

ingredientes

PARA 5-6 PERSONAS

1-2 cucharadas de aceite de cacahuete o vegetal
400 g de carne de cordero o de carnero, en dados
1 cebolla picada gruesa
1 pimiento verde picado grueso
1 zanahoria picada gruesa
1 nabo picado grueso
2 tomates picados gruesos
1 trozo de 2,5 cm de jengibre fresco en rodajitas
300 ml de agua
1 cucharadita de sal

preparación

1 Caliente el aceite en un wok o en una sartén honda precalentada y saltee los dados de carne 1 o 2 minutos, hasta que estén uniformemente dorados.

2 Pase la carne a una cazuela de barro grande y añada el resto de los ingredientes. Llévelo a ebullición, cubra la cazuela y deje cocer el estofado a fuego lento 35 minutos.

cerdo especiado de Sichuán

ingredientes

PARA 4 PERSONAS

280 g de falda de cerdo en lonchitas
1 cucharada de aceite de cacahuete o vegetal
1 cucharada de salsa de soja con guindilla
1 cucharada de habichuelas negras fermentadas, lavadas y ligeramente machacadas
1 cucharadita de pasta de soja roja dulce (opcional)
1 pimiento verde en tiras finas
1 pimiento rojo en tiras finas
1 cucharadita de azúcar
1 cucharadita de salsa de soja oscura
1 pizca de pimienta blanca

preparación

1 Hierva agua en una cacerola, eche la carne, cúbrala y déjela a fuego suave 20 minutos, retirando de vez en cuando la espuma de la superficie. Deje enfriar y reposar la carne antes de cortarla en lonchas finas.

2 Caliente el aceite en un wok o en una sartén honda precalentada y fría las lonchas de carne hasta que empiecen a encogerse. Añada la salsa de soja con guindilla y después las habichuelas negras y la pasta de soja roja, si la utiliza. Por último, incorpore el pimiento y el resto de los ingredientes y saltéelos un par de minutos.

cerdo con pimientos al estilo de Sichuán

ingredientes

PARA 4 PERSONAS

500 g de solomillo de cerdo en dados
2 cucharadas de fécula de maíz
3 cucharadas de salsa de soja
1 cucharada de vinagre de vino blanco
275 ml de agua
2 cucharadas de aceite de cacahuete
2 puerros en rodajitas
1 pimiento rojo en tiras finas
1 calabacín en tiras finas
1 zanahoria en tiras finas
1 pizca de sal
arroz blanco y salvaje, recién cocido, para acompañar

para el adobo

1 cucharada de salsa de soja
1 pizca de copos de guindilla

preparación

1 Para hacer el adobo, mezcle en un cuenco la salsa de soja con los copos de guindilla, eche los dados de carne y deles la vuelta para recubrirlos bien. Cúbralos con film transparente y déjelos macerar 30 minutos.

2 En un bol, disuelva la fécula de maíz con la salsa de soja y el vinagre. Vierta gradualmente el agua y resérvelo.

3 Caliente 1 cucharada de aceite en un wok o sartén, eche la carne de cerdo con el adobo y saltéela 2 o 3 minutos. Retire la carne con una espumadera y resérvela.

4 Caliente el resto del aceite en la sartén y saltee el puerro y el pimiento unos 2 minutos. A continuación, eche el calabacín, la zanahoria y la sal y saltéelos 2 minutos más.

5 Incorpore la carne y la mezcla de fécula de maíz y llévelo a ebullición, sin dejar de remover, hasta que la salsa se espese. Retírelo del fuego y sírvalo enseguida con arroz blanco y salvaje recién cocido.

costillas de cerdo en salsa agridulce

ingredientes

PARA 4 PERSONAS

450 g de costillas de cerdo en trozos medianos
aceite de cacahuete o vegetal, para freír

para el adobo

2 cucharaditas de salsa de soja clara
1/2 cucharadita de sal
1 pizca de pimienta blanca

para la salsa

3 cucharadas de vinagre blanco de arroz
2 cucharadas de azúcar
1 cucharada de salsa de soja clara
1 cucharada de ketchup
1 1/2 cucharadas de aceite de cacahuete o vegetal
1 pimiento verde picado grueso
1 cebollita picada gruesa
1 zanahoria pequeña en rodajitas
1/2 cucharadita de ajo picado
1/2 cucharadita de jengibre picado
100 g de trozos de piña

preparación

1 Mezcle todos los ingredientes del adobo en un bol y deje macerar la carne un mínimo de 20 minutos.

2 Caliente el aceite suficiente para freír en un wok o una freidora a 180-190 °C, o hasta que un dado de pan se dore en 30 segundos. Fría los trozos de costilla durante 8 minutos, escúrralos y resérvelos.

3 Para preparar la salsa, mezcle el vinagre con el azúcar, la salsa de soja clara y el ketchup. Resérvela.

4 Caliente 1 cucharada de aceite en un wok o en una sartén honda precalentada y saltee el pimiento, la cebolla y la zanahoria 2 minutos. Retírelos y resérvelos.

5 En el wok o sartén limpia caliente el resto del aceite y saltee el ajo y el jengibre hasta que desprendan aroma. Agregue la mezcla de vinagre, llévelo a ebullición y añada los trozos de piña. Por último, incorpore la costilla y el pimiento, la cebolla y la zanahoria. Remueva hasta que esté todo bien caliente y sírvalo enseguida.

pollo agridulce

ingredientes

PARA 4-6 PERSONAS

450 g de carne de pollo sin grasa, en dados
5 cucharadas de aceite de cacahuete o vegetal
1/2 cucharadita de ajo picado
1/2 cucharadita de jengibre fresco picado
1 pimiento verde troceado
1 cebolla picada troceada
1 zanahoria en rodajitas
1 cucharadita de aceite de sésamo
1 cucharada de cebolleta picada

para el adobo

2 cucharaditas de salsa de soja
1 cucharadita de vino de arroz de Shaoxing
1 pizca de pimienta blanca
1/2 cucharadita de sal
1 chorrito de aceite de sésamo

para la salsa

8 cucharadas de vinagre de arroz
4 cucharadas de azúcar
2 cucharaditas de salsa de soja clara
6 cucharadas de ketchup

preparación

1 Ponga todos los ingredientes del adobo en un bol y deje macerar los dados de pollo un mínimo de 20 minutos.

2 Para preparar la salsa, caliente el vinagre en un cazo y eche el azúcar, la salsa de soja clara y el ketchup. Remueva bien para disolver el azúcar y reserve la salsa.

3 Caliente 3 cucharadas de aceite en un wok o en una sartén honda precalentada y saltee el pollo hasta que empiece a dorarse. Retírelo y resérvelo.

4 En el wok o sartén limpia caliente el resto del aceite y fría el ajo y el jengibre hasta que desprendan su aroma. Incorpore las verduras y saltéelas 2 minutos, eche el pollo y déjelo 1 minuto más. Por último, agregue la salsa, el aceite de sésamo y la cebolleta, y sirva el plato enseguida.

pollo gong bao

ingredientes

PARA 4 PERSONAS

2 pechugas de pollo deshuesadas, con o sin piel, en dados de 1 cm
1 cucharada de aceite de cacahuete o vegetal
10 o más guindillas rojas secas en 2 o 3 trozos
1 cucharadita de granos de pimienta de Sichuán
3 dientes de ajo en láminas
1 trozo de 2,5 cm de jengibre fresco en rodajitas
1 cucharada de cebolleta picada gruesa
85 g de cacahuetes tostados

para el adobo

2 cucharaditas de salsa de soja clara
1 cucharadita de vino de arroz de Shaoxing
1/2 cucharadita de azúcar

para la salsa

1 cucharadita, de cada, de salsa de soja clara, salsa de soja oscura y vinagre oscuro de arroz
unas gotas de aceite de sésamo
2 cucharadas de caldo de pollo
1 cucharadita de azúcar

preparación

1 En un bol, mezcle todos los ingredientes del adobo y deje el pollo en maceración, cubierto, un mínimo de 20 minutos. Mezcle todos los ingredientes de la salsa y resérvela.

2 Caliente el aceite en un wok o en una sartén honda precalentada y saltee la guindilla y los granos de pimienta hasta que estén crujientes y desprendan su aroma. Eche los dados de pollo y cuando empiecen a ponerse blancos, incorpore el ajo, el jengibre y la cebolleta. Saltéelo 5 minutos o hasta que el pollo esté hecho.

3 Agregue la salsa y cuando esté todo bien mezclado incorpore los cacahuetes. Sirva el plato enseguida.

pollo bang bang

ingredientes

PARA 4 PERSONAS

350 g de carne de pollo sin hueso ni piel
unas gotas de aceite de sésamo
2 cucharadas de pasta de sésamo
1 cucharada de salsa de soja clara
1 cucharada de caldo de pollo
1/2 cucharadita de sal
1 pizca de azúcar
8 cucharadas de tiras de hojas de lechuga y 1 cucharada de semillas de sésamo tostadas, para acompañar

preparación

1 Ponga el pollo en una cacerola con agua fría, llévelo a ebullición y cuézalo a fuego suave de 8 a 10 minutos. Escúrralo, déjelo enfriar un poco y después córtelo en trozos del tamaño de un bocado.

2 Mezcle el aceite con la pasta de sésamo, la salsa de soja clara, el caldo de pollo, la sal y el azúcar y bátalo hasta que la salsa esté espesa y suave. Incorpore el pollo.

3 Para servir, disponga un lecho de tiras de lechuga en una fuente y coloque el pollo y la salsa encima. Espolvoréelo con las semillas de sésamo y sírvalo a temperatura ambiente.

pollo con anacardos

ingredientes

PARA 4-6 PERSONAS

450 g de carne de pollo deshuesada, en trozos medianos
3 cucharadas de salsa de soja clara
1 cucharadita de vino de arroz de Shaoxing
1 pizca de azúcar
1/2 cucharadita de sal
3 setas chinas secas, remojadas en agua caliente 20 minutos
2 cucharadas de aceite de cacahuete o vegetal
4 rodajas de jengibre fresco
1 cucharadita de ajo picado
1 pimiento rojo en cuadrados de 2,5 cm
85 g de anacardos tostados

preparación

1 Macere el pollo en 2 cucharadas de salsa de soja clara, el vino de arroz, el azúcar y la sal, un mínimo de 20 minutos.

2 Estruje las setas para eliminar el exceso de agua, deseche el tallo leñoso y córtelas en láminas finas. Reserve el líquido del remojo.

3 Caliente 1 cucharada de aceite en un wok o en una sartén honda precalentada y saltee el jengibre hasta que desprenda aroma. Eche el pollo y saltéelo 2 minutos o hasta que empiece a dorarse. Antes de que esté hecho del todo, retírelo y resérvelo.

4 En el wok o sartén limpia caliente el resto del aceite y saltee el ajo hasta que desprenda su aroma. Incorpore las setas y el pimiento y saltéelos 1 minuto. Vierta 2 cucharadas del líquido del remojo de las setas y déjelo 2 minutos o hasta que el agua se haya consumido. Vuelva a poner el pollo en el wok, añada el resto de la salsa de soja y los anacardos y saltéelo todo 2 minutos o hasta que el pollo esté listo.

pollo al jengibre con sésamo tostado

ingredientes

PARA 4 PERSONAS

500 g de pechugas de pollo, sin piel y cortadas en tiras
2 cucharadas de aceite de cacahuete
1 puerro en rodajitas
1 brécol dividido en ramitos
2 zanahorias en rodajitas
1/2 coliflor dividida en ramitos
1 cucharadita de jengibre fresco rallado
5 cucharadas de vino blanco
2 cucharadas de semillas de sésamo
1 cucharada de fécula de maíz
1 cucharada de agua
arroz recién cocido, para acompañar

para el adobo

4 cucharadas de salsa de soja
4 cucharadas de agua

preparación

1 En una fuente mediana, mezcle la salsa de soja con 4 cucharadas de agua y eche el pollo. Cúbralo con film transparente y déjelo macerar en el frigorífico 1 hora.

2 Retire el pollo del adobo con una espumadera. Caliente el aceite en una sartén o wok y saltee el pollo con el puerro, hasta que la carne esté dorada y el puerro empiece a estar tierno. Añada la verdura, el jengibre y el vino. Baje el fuego, cubra el wok y déjelo a fuego suave 5 minutos.

3 Tueste las semillas de sésamo en una bandeja de horno bajo el grill caliente, remueva una vez y después déjelas enfriar.

4 En un bol, disuelva la fécula de maíz en 1 cucharada de agua y remueva hasta que no queden grumos. Vierta gradualmente el líquido en el wok, sin dejar de remover, hasta que se espese.

5 Disponga el pollo y las verduras sobre un lecho de arroz caliente, espolvoréelo con las semillas de sésamo tostado y sírvalo.

pato chino crujiente

ingredientes

PARA 4 PERSONAS

3 cucharadas de salsa de soja
1/4 de cucharadita de mezcla china de 5 especias
1/4 de cucharadita de pimienta y 1 pizca de sal
4 muslos o pechugas de pato, troceados
3 cucharadas de aceite vegetal
1 cucharadita de aceite de sésamo oscuro
1 cucharadita de jengibre picado
1 diente de ajo grande picado
4 cebolletas, con la parte blanca en rodajas gruesas y la verde en tiras finas
2 cucharadas de vino de arroz o de jerez seco y 1 de salsa de ostras
3 anises estrellados
2 cucharaditas de granos de pimienta negra
450-600 ml de caldo de pollo o agua
6 setas shiitake secas remojadas en agua caliente 20 minutos
225 g de castañas de agua de lata escurridas
2 cucharadas de fécula de maíz

preparación

1 Mezcle 1 cucharada de salsa de soja con la mezcla china de 5 especias, la pimienta y la sal y frote con ello los trozos de pato. Ponga 2½ cucharadas de aceite vegetal en una cazuela refractaria y fría los trozos de carne hasta que estén dorados. Páselos a una fuente y resérvelos.

2 Escurra la grasa de la cazuela y límpiela con papel absorbente. Eche el aceite de sésamo y el resto del aceite vegetal y caliéntelos. Saltee el jengibre y el ajo unos segundos, añada las rodajas de cebolleta y saltéelo unos segundos más. Vuelva a poner el pato en la cazuela, añada el vino de arroz, la salsa de ostras, el anís estrellado, los granos de pimienta y el resto de la salsa de soja. Vierta el caldo suficiente para cubrir el pato. Llévelo a ebullición, cúbralo y déjelo a fuego suave 1½ horas, añadiendo más caldo si fuera necesario.

3 Escurra las setas y estrújelas para eliminar el exceso de agua. Córtelas en láminas, añádalas al pato junto con las castañas de agua y déjelo a fuego suave otros 20 minutos.

4 Disuelva la fécula de maíz en 2 cucharadas del líquido de cocción hasta obtener una pasta suave. Añádala al resto del líquido, removiendo, hasta que se haya espesado. Adorne el plato con las tiras de la parte verde de la cebolleta y sírvalo.

pato pequinés

ingredientes

PARA 6-10 PERSONAS

1 pato de unos 2 kg limpio
1,7 litros de agua hirviendo
1 cucharada de miel
1 cucharada de vino de arroz de Shaoxing
1 cucharadita de vinagre blanco de arroz
1 pepino pelado, sin semillas y en juliana
10 cebolletas, sólo la parte blanca, en juliana
30 tortitas para pato pequinés
salsa de ciruelas o hoisin, o ambas

preparación

1 Para preparar el pato, masajee la piel para separarla de la carne.

2 Vierta el agua hirviendo en una olla y eche la miel, el vino de arroz, el vinagre y el pato. Escáldelo 1 minuto, retírelo y cuélguelo para que se seque, unas horas o toda la noche.

3 Precaliente el horno a 200 °C. Ponga el pato sobre una rejilla encima de una bandeja de hornear y áselo como mínimo 1 hora o hasta que la piel esté bien crujiente y la carne asada.

4 Lleve el pato a la mesa, junto con el pepino, la cebolleta y las tortitas y retírele la piel. Coloque sobre una tortita un poco de piel crujiente y unos trocitos de pepino y de cebolleta. Ponga un poco de salsa de ciruela o hoisin encima, o ambas, y enróllelo. Proceda igual con la carne magra.

pescado frito con piñones

ingredientes

PARA 4-6 PERSONAS

½ cucharadita de sal
450 g de filetes gruesos de pescado blanco, cortados en dados de 2,5 cm
2 setas chinas secas, remojadas en agua caliente 20 minutos
3 cucharadas de aceite de cacahuete o vegetal
1 trozo de 2,5 cm de jengibre fresco, en tiras finas
1 cucharada de cebolleta picada
1 pimiento rojo en cuadrados de 1 cm
1 pimiento verde en cuadrados de 1 cm
25 g de brotes de bambú frescos o de lata, enjuagados (si los utiliza frescos hiérvalos primero en agua hirviendo 30 minutos)
2 cucharaditas de vino de arroz de Shaoxing
2 cucharadas de piñones tostados

preparación

1 Sale el pescado y déjelo reposar 20 minutos. Estruje las setas para eliminar el exceso de agua, deseche los tallos leñosos y córtelas en láminas finas.

2 Caliente 2 cucharadas de aceite en un wok precalentado y fría el pescado 3 minutos. Escúrralo y resérvelo.

3 Caliente el resto del aceite en un wok limpio precalentado y saltee el jengibre hasta que desprenda aroma, a continuación, añada la cebolleta, el pimiento, el bambú, las setas y el vino de arroz y saltéelos 1 o 2 minutos.

4 Incorpore el pescado y remueva para calentarlo. Esparza los piñones por encima y sirva el plato.

guindillas rellenas de pasta de pescado

ingredientes

PARA 4-6 PERSONAS

225 g de pescado blanco picado
2 cucharadas de huevo ligeramente batido
4-6 guindillas rojas y verdes no muy picantes
aceite de cacahuete o vegetal, para freír
2 dientes de ajo picados
1/2 cucharadita de habichuelas negras fermentadas, lavadas y ligeramente machacadas
1 cucharada de salsa de soja clara
1 pizca de azúcar
1 cucharada de agua

para el adobo

1 cucharadita de jengibre fresco picado
1 pizca de sal
1 pizca de pimienta blanca
1/2 cucharadita de aceite de cacahuete o vegetal

preparación

1 En un bol, mezcle los ingredientes del adobo y deje macerar el pescado 20 minutos. Añada el huevo y mézclelo con las manos hasta obtener una pasta suave.

2 Para preparar las guindillas pártalas por la mitad a lo largo, retire las semillas y la membrana blanca. Córtelas en trozos del tamaño de un bocado. Coloque 1/2 cucharadita de pasta de pescado sobre cada trozo de guindilla.

3 Caliente abundante aceite en un wok o en una sartén honda precalentada y fría los trozos de guindilla por ambos lados, hasta que empiecen a dorarse. Escúrralos y resérvelos.

4 Caliente 1 cucharada del aceite en un wok o una sartén honda y saltee el ajo hasta que desprenda aroma. Añada las habichuelas negras y mézclelo bien. Incorpore la salsa de soja y el azúcar, remueva y, a continuación añada los trozos de guindilla. Vierta el agua, tape el wok y déjelo a fuego suave unos 5 minutos. Sirva el plato enseguida.

pescado frito con soja y jengibre

ingredientes

PARA 4-5 PERSONAS

6 setas chinas secas, remojadas en agua caliente 20 minutos
3 cucharadas de vinagre de arroz
2 cucharadas de azúcar moreno
3 cucharadas de salsa de soja oscura
1 trozo de 7,5 cm de jengibre picado
4 cebolletas en rodajas diagonales
2 cucharaditas de fécula de maíz
2 cucharadas de zumo de lima
1 lubina limpia y escamada de 1 kg
sal y pimienta
4 cucharadas de harina
aceite de girasol, para freír
col china en tiras y rodajas de rábano, para servir
1 rábano en rodajas pero dejado entero, para adornar

preparación

1 Escurra las setas y reserve 100 ml del líquido de remojo. Córtelas en láminas finas. Mezcle el líquido con el vinagre, el azúcar y la salsa de soja. Llévelo a ebullición en un cazo junto con las setas. Baje la temperatura y déjelo 3 o 4 minutos. Eche el jengibre y la cebolleta y déjelo a fuego suave 1 minuto más.

2 Disuelva la fécula de maíz en el zumo de lima, échelo en el cazo y remueva constantemente de 1 a 2 minutos, hasta que la salsa se espese. Resérvela.

3 Salpimiente la lubina por dentro y por fuera y enharínela ligeramente.

4 Caliente un par de dedos de aceite en una cacerola ancha de base gruesa a 180-190 °C, o hasta que un dado de pan se dore en 30 segundos. Fría el pescado 3 o 4 minutos por un lado hasta que esté dorado. Utilice 2 espátulas para darle la vuelta con cuidado y fríalo 3 o 4 minutos más por el otro lado, hasta que se haya dorado.

5 Retire el pescado, escurra el exceso de aceite y póngalo en una fuente. Caliente la salsa hasta que hierva y viértala sobre el pescado. Sírvalo enseguida sobre las tiras de col china y las rodajas de rábano, adornado con el rábano en rodajas pero entero.

pescado cinco sauces

ingredientes

PARA 4-6 PERSONAS

- 1 lubina entera limpia, o un pescado similar, de unos 450-675 g de peso
- 2 cucharaditas de sal
- 6 cucharadas de aceite de cacahuete o vegetal
- 2 rodajas de jengibre fresco
- 2 dientes de ajo en láminas finas
- 2 cebolletas picadas gruesas
- 1 pimiento verde en tiras finas
- 1 pimiento rojo en tiras finas
- 1 zanahoria en rodajas finas
- 50 g de brotes de bambú frescos o de lata, enjuagados (si los utiliza frescos hiérvalos primero en agua hirviendo 30 minutos)
- 2 tomates pelados, sin semillas y en rodajitas
- 1 cucharada de vino de arroz de Shaoxing
- 2 cucharadas de vinagre blanco de arroz
- 1 cucharada de salsa de soja clara
- 1 cucharada de azúcar

preparación

1 Para preparar el pescado, lávelo y séquelo bien. Haga unas incisiones diagonales en ambos lados y frótelo con ½ cucharadita de sal.

2 En el wok o sartén honda precalentada, caliente 4 cucharadas de aceite y fría el pescado 4 minutos por cada lado, o hasta que esté hecho. Escúrralo y resérvelo caliente.

3 En el wok o sartén precalentada, caliente el resto del aceite y saltee el jengibre con el ajo y la cebolleta hasta que desprendan aroma. Incorpore las verduras con el resto de la sal y remueva rápidamente 2 o 3 minutos. Añada el resto de los ingredientes y mézclelos bien 2 o 3 minutos. Vierta la salsa sobre el pescado y sírvalo enseguida.

lenguado al vapor con salsa de habichuelas negras

ingredientes

PARA 3-4 PERSONAS

1 lenguado limpio
1/2 cucharadita de sal
2 cucharaditas de habichuelas negras, lavadas y picadas
2 cucharaditas de ajo picado
1 cucharadita de jengibre fresco en tiras finas
1 cucharada de cebolleta en tiras
1 cucharada de salsa de soja clara
1 cucharadita de vino de arroz de Shaoxing
1 cucharadita de aceite de cacahuete o vegetal
1 chorrito de aceite de sésamo
1/2 cucharadita de azúcar
1 pizca de pimienta blanca

preparación

1 Ponga el pescado en un plato refractario o sobre papel de aluminio.

2 Disponga el resto de los ingredientes sobre el pescado y cuézalo al vapor en una vaporera 10 o 12 minutos, o hasta que esté hecho.

pescado frito con salsa de soja con guindilla

ingredientes

PARA 4-6 PERSONAS

1 pescado de agua dulce entero, por ejemplo trucha o carpa, de unos 400 g, limpio
1 cucharada colmada de harina
1 pizca de sal
100 ml de agua
aceite de cacahuete o vegetal, para freír

para la salsa

100 ml de aceite de cacahuete o vegetal
1 cucharadita de copos de guindilla
1 diente de ajo picado
1 cucharadita de jengibre picado
1 cucharada de salsa de soja con guindilla
½ cucharadita de pimienta blanca
2 cucharaditas de azúcar
1 cucharada de vinagre blanco de arroz
1 cucharadita de cebolleta picada

preparación

1 Para preparar el pescado, lávelo y séquelo bien. Mezcle la harina con la sal y el agua para hacer una pasta clara, y reboce el pescado.

2 En un wok, freidora o sartén honda, caliente aceite suficiente para freír a 180-190 °C, o hasta que un dado de pan se dore en unos 30 segundos. Fría el pescado por ambos lados, hasta que la piel esté dorada y crujiente. Escúrralo y resérvelo caliente.

3 Para hacer la salsa, caliente todo el aceite excepto 1 cucharada en una sartén pequeña y cuando humee eche los copos de guindilla. Resérvela.

4 En un wok o sartén honda, caliente el resto del aceite y saltee el ajo y el jengibre hasta que desprendan aroma. Eche la salsa de soja con guindilla y la mezcla de copos de guindilla y aceite. Sazone con la pimienta, el azúcar y el vinagre. Apague el fuego y añada la cebolleta. Vierta la salsa sobre el pescado y sírvalo enseguida.

vieiras salteadas

ingredientes

PARA 4 PERSONAS

450 g de vieiras
2 cucharadas de aceite de sésamo
1 cucharada de cilantro fresco picado
1 cucharada de perejil picado
fideos de arroz, para acompañar

para la salsa

2 cucharadas de zumo de limón
2 cucharadas de salsa de soja
1 cucharada de miel
1 cucharada de jengibre fresco picado
1 cucharada de salsa de pescado
1 diente de ajo pelado y machacado

preparación

1 Mezcle en un bol el zumo de limón con la salsa de soja, la miel, el jengibre, la salsa de pescado y el ajo, y remueva bien para disolver la miel. Eche las vieiras y remueva para recubrirlas con la salsa.

2 Caliente un wok o sartén de base gruesa a temperatura máxima 3 minutos, vierta el aceite y caliéntelo 30 segundos.

3 Eche las vieiras con su salsa en el wok, así como el cilantro y el perejil. Remueva constantemente durante 3 minutos (menos tiempo si las vieiras son pequeñas). Sírvalas enseguida con fideos de arroz.

vieiras salteadas con espárragos

ingredientes

PARA 4 PERSONAS

225 g de vieiras
2 cucharaditas de sal
225 g de espárragos
50 g de brotes de bambú frescos o de lata, enjuagados (si los utiliza frescos hiérvalos primero en agua hirviendo 30 minutos)
1 zanahoria pequeña en rodajitas
4 rodajitas de jengibre fresco
1 pizca de pimienta blanca
2 cucharadas de vino de arroz de Shaoxing
2 cucharadas de caldo de pollo
1 cucharadita de aceite de sésamo

preparación

1 Espolvoree las vieiras con 1 cucharadita de sal y déjelas reposar 20 minutos.

2 Deseche la parte dura de los espárragos, córtelos en trozos de 5 cm y escáldelos en una olla de agua hirviendo 30 segundos. Escúrralos y resérvelos.

3 Caliente 1 cucharada de aceite en un wok precalentado y fría las vieiras 30 segundos. Escúrralas y resérvelas.

4 En el wok limpio, caliente otra cucharada de aceite y saltee los espárragos, el bambú y la zanahoria 2 minutos. Sazone la verdura con el resto de la sal, escúrrala y resérvela.

5 En el wok limpio, caliente el resto del aceite y saltee el jengibre hasta que desprenda aroma. Vuelva a poner las vieiras y la verdura en el wok y condiméntelo con la pimienta, el vino de arroz y el caldo. Cúbralo y déjelo cocer 2 minutos más. Añada el aceite de sésamo y sirva el plato.

almejas con salsa de habichuelas negras

ingredientes

PARA 4 PERSONAS

1 kg de almejas pequeñas
1 cucharada de aceite de cacahuete o vegetal
1 cucharadita de jengibre fresco picado
1 cucharadita de ajo picado
1 cucharada de habichuelas negras fermentadas, lavadas y picadas gruesas
2 cucharaditas de vino de arroz de Shaoxing
1 cucharada de cebolleta picada
1 cucharadita de sal (opcional)

preparación

1 Empiece por lavar bien las almejas y después déjelas en remojo en agua fría hasta que llegue el momento de escurrirlas y cocinarlas.

2 Caliente el aceite en un wok o en una sartén honda precalentada y saltee el jengibre y el ajo hasta que desprendan aroma. Añada las habichuelas negras y saltéelas 1 minuto.

3 Suba el fuego y añada las almejas escurridas y el vino de arroz; saltéelo todo 2 minutos para mezclarlo bien. Tape el wok y déjelo en el fuego 3 minutos. Añada la cebolleta y la sal, si la utiliza, y sirva el plato enseguida.

gambas al jengibre con setas de cardo

ingredientes

PARA 4 PERSONAS

unas 3 cucharadas de aceite vegetal
3 zanahorias en rodajitas
350 g de setas de cardo en láminas finas
1 pimiento rojo grande en tiras finas
450 g de gambas grandes peladas
2 dientes de ajo machacados
hojas de cilantro fresco, para adornar

para la salsa

150 ml de caldo de pollo
2 cucharaditas de semillas de sésamo
3 cucharaditas de jengibre fresco rallado
1 cucharada de salsa de soja
1/4 de cucharadita de salsa de guindilla picante
1 cucharadita de fécula de maíz

preparación

1 En un bol, mezcle bien el caldo de pollo con las semillas de sésamo, el jengibre, la salsa de soja, la de guindilla y la fécula de maíz. Resérvelo.

2 En una sartén grande o en un wok, caliente 2 cucharadas de aceite y saltee la zanahoria 3 minutos. Retírela y resérvela.

3 Eche 1 cucharada más de aceite en la sartén y fría las setas durante 2 minutos. Retírelas de la sartén y resérvelas.

4 Añada más aceite si fuera necesario y saltee el pimiento con las gambas y el ajo 3 minutos, hasta que las gambas estén rosadas.

5 Remueva de nuevo la salsa y cuézala en la sartén hasta que burbujee. Vuelva a poner la zanahoria y las setas en la sartén, tápela y déjelo 2 minutos, hasta que estén bien calientes. Sirva el plato adornado con cilantro.

gambas con tirabeques y anacardos

ingredientes

PARA 4 PERSONAS

85 g de anacardos
3 cucharadas de aceite
4 cebolletas en láminas
2 ramas de apio en rodajitas
3 zanahorias en rodajitas
100 g de mazorquitas de maíz, partidas por la mitad
175 g de champiñones en láminas finas
1 diente de ajo picado grueso
450 g de gambas peladas
1 cucharadita de fécula de maíz
2 cucharadas de salsa de soja
50 ml de caldo de pollo
225 g de repollo en tiras finas
175 g de tirabeques
arroz recién cocido, para acompañar

preparación

1 Tueste los anacardos en un wok o sartén a fuego medio, hasta que empiecen a dorarse. Retírelos con una espumadera y resérvelos.

2 Ponga el aceite en la sartén y saltee a fuego medio la cebolleta con el apio, la zanahoria y las mazorquitas de maíz, removiendo de vez en cuando, de 3 a 4 minutos.

3 Eche los champiñones y saltéelos hasta que se doren. Incorpore el ajo y las gambas, removiendo, hasta que estén rosadas.

4 Disuelva la fécula de maíz en la salsa de soja y el caldo hasta que esté suave, añada el líquido a la mezcla de gambas y remueva. A continuación, incorpore el repollo, los tirabeques y casi todos los anacardos y déjelo cocer todo unos 2 minutos.

5 Adorne el plato con los anacardos reservados y sírvalo con arroz para acompañar.

cangrejo fresco salteado con jengibre

ingredientes

PARA 4 PERSONAS

3 cucharadas de aceite de cacahuete o vegetal
2 cangrejos frescos grandes, limpios, troceados y con las pinzas abiertas; para ello, use cuchillo de cocina
50 g de jengibre fresco en juliana
100 g de cebolletas en trozos de 5 cm
2 cucharadas de salsa de soja clara
1 cucharadita de azúcar
1 pizca de pimienta blanca

preparación

1 Caliente 2 cucharadas de aceite en un wok o sartén honda precalentada y fría el cangrejo a fuego vivo unos 3 o 4 minutos. Retírelo y resérvelo.

2 En el wok o en una sartén limpia, caliente el resto del aceite y saltee el jengibre hasta que desprenda aroma. Eche la cebolleta y, a continuación, los trozos de cangrejo. Agregue la salsa de soja clara, el azúcar y la pimienta. Cúbralo, déjelo a fuego suave 1 minuto, y sírvalo enseguida.

calamares rellenos de cerdo y setas

ingredientes

PARA 6-8 PERSONAS

400 g de calamares pequeños
4 setas chinas secas, remojadas en agua caliente 20 minutos
225 g de carne de cerdo picada
4 castañas de agua picadas
1/2 cucharadita de aceite de sésamo
1 cucharadita de sal
1/2 cucharadita de pimienta blanca
salsa de soja oscura y 1 guindilla tailandesa roja, picada (opcional), para servir

preparación

1 Limpie bien los calamares y deseche los tentáculos. Escurra el exceso de agua de las setas y píquelas finas, eliminando los tallos leñosos.

2 Mezcle las setas con la carne picada, las castañas de agua, el aceite de sésamo, la sal y la pimienta.

3 Rellene los calamares presionando con firmeza pero dejando el espacio suficiente para poder cerrarlos con un palillo.

4 Cuézalos al vapor 15 minutos. Sírvalos con una buena salsa de soja para mojar, además de la guindilla, si lo desea.

calamar con guindilla dulce

ingredientes

PARA 4 PERSONAS

1 cucharada de semillas de sésamo tostadas
2 cucharadas de aceite de sésamo
280 g de calamares en tiras
2 pimientos rojos en tiras
3 chalotes en rodajitas
85 g de champiñones en láminas finas
1 cucharada de jerez seco
4 cucharadas de salsa de soja
1 cucharadita de azúcar
1 cucharadita de copos de guindilla, o al gusto
1 diente de ajo machacado
1 cucharadita de aceite de sésamo
arroz recién cocido, para acompañar

preparación

1 Extienda las semillas de sésamo sobre una bandeja para el horno, tuéstelas bajo el grill caliente y resérvelas.

2 Caliente 1 cucharada de aceite en una sartén o en un wok a fuego medio, fría el calamar durante 2 minutos, retírelo y resérvelo.

3 Eche la otra cucharada de aceite en la sartén y fría el pimiento y el chalote a temperatura media 1 minuto. Incorpore los champiñones y fríalos 2 minutos.

4 Vuelva a poner el calamar en la sartén y añada el jerez, la salsa de soja, el azúcar, los copos de guindilla y el ajo, removiendo bien. Déjelo 2 minutos más en el fuego.

5 Espolvoréelo con las semillas de sésamo, rocíelo con 1 cucharadita de aceite de sésamo y mézclelo bien. Sírvalo sobre un lecho de arroz cocido.

arroz y fideos

Los fideos y el arroz constituyen las dos fuentes básicas de carbohidratos en China. El arroz se cultiva y se consume especialmente en el sur del país, mientras que el trigo y el mijo son más del norte. Generalmente mezclan la harina de trigo con huevo para hacer los fideos, que se venden frescos o secos y en una gran variedad de formas y tamaños. El arroz se cuece tal cual pero también utilizan su harina para hacer fideos, ya sean los tallarines o los finos fideos de celofán. Si sufre de intolerancia al gluten, los fideos de arroz son el sustituto perfecto.

Los nombres de algunos platos son muy poéticos, como las Hormigas trepadoras o los Fideos que cruzan el puente. Vale la pena prepararlos aunque sólo sea para ver la cara de sus familiares y amigos cuando sirva estos misteriosos y sabrosos platos. También resulta divertido utilizar los fideos de formas diferentes, como las cestitas, que son fáciles de hacer y quedan estupendas con el Chow mein de Pollo, y la Verdura agridulce sobre crepes de fideos que también queda fabulosa.

El arroz frito es uno de esos platos que gustan a todo el mundo y en este capítulo encontrará varias opciones, incluyendo el Arroz frito con cerdo y gambas, una sabrosa combinación de carne y marisco, y el Arroz frito con pollo, ideal para cualquier ocasión.

tallarines con ternera y salsa de ostras

ingredientes

PARA 4 PERSONAS

300 g de lomo o cuarto trasero de ternera, deshuesado y en lonchas
250 g de tallarines chinos al huevo
2 cucharadas de aceite de cacahuete o de girasol
225 g de espárragos sin la parte dura y troceados
2 dientes de ajo grandes picados
1 trozo de jengibre fresco de 1 cm, pelado y picado
1/2 cebolla roja en rodajitas
4 cucharadas de caldo de carne o de verduras
1 1/2 cucharadas de vino de arroz
2-3 cucharadas de salsa de ostras
semillas de sésamo tostadas, para adornar

para el adobo

1 cucharada de salsa de soja clara
1 cucharadita de aceite de sésamo tostado
2 cucharaditas de vino de arroz

preparación

1 Para hacer el adobo, mezcle todos los ingredientes en un cuenco, eche la carne procurando que las lonchas queden bien recubiertas y déjelas macerar unos 15 minutos.

2 Mientras tanto, cueza los tallarines en una cazuela con agua hirviendo 8 minutos, o según las indicaciones del envase. Escúrralos, páselos por agua fría, vuelva a escurrirlos y resérvelos.

3 Cuando vaya a preparar el plato, caliente un wok o una sartén grande a fuego vivo, caliente 1 cucharada de aceite. Saltee los espárragos 1 minuto, pase la carne con el adobo al wok, pero retírese un poco porque salpicará, y siga salteando hasta que la carne esté cocida a su gusto, aproximadamente 1 1/2 minutos si la quiere al punto. Retire la carne y los espárragos del wok y resérvelos.

4 Caliente el resto del aceite y saltee el ajo, el jengibre y la cebolla 1 minuto, hasta que la cebolla se haya ablandado. Vierta el caldo, el vino de arroz y la salsa de ostras, y llévelo a ebullición, removiendo. Vuelva a poner la carne y los espárragos en el wok, junto con los fideos. Mezcle los ingredientes con un par de tenedores y remueva hasta que los tallarines estén calientes. Espolvoree el plato con las semillas de sésamo tostadas.

fideos de arroz con buey y salsa de habichuelas negras

ingredientes

PARA 4-6 PERSONAS

225 g de cuarto trasero de buey en tiras
225 g de fideos de arroz
2-3 cucharadas de aceite de cacahuete o vegetal
1 cebolla pequeña en rodajitas
1 pimiento verde en tiras
1 pimiento rojo en tiras
2 cucharadas de salsa de habichuelas negras
2-3 cucharadas de salsa de soja clara

para el adobo

1 cucharada de salsa de soja oscura
1 cucharadita de vino de arroz de Shaoxing
1/2 cucharadita de azúcar
1/2 cucharadita de pimienta blanca

preparación

1 Mezcle en un cuenco todos los ingredientes del adobo y deje macerar la carne un mínimo de 20 minutos.

2 Cueza los fideos de arroz según las instrucciones del envase. Una vez cocidos escúrralos y resérvelos.

3 Caliente el aceite en un wok o en una sartén honda precalentada y saltee la carne 1 minuto o hasta que cambie de color. A continuación, escúrrala y resérvela.

4 Retire el exceso de aceite del wok y saltee la cebolla y el pimiento 1 minuto. Agregue la salsa de habichuelas negras y remueva bien; a continuación, vierta la salsa de soja clara. Eche los fideos en el wok y cuando todo esté bien mezclado añada la carne de buey y caliéntelo bien. Sirva el plato enseguida.

hormigas trepadoras

ingredientes

PARA 4 PERSONAS

250 g de tallarines de arroz
1 cucharada de fécula de maíz
3 cucharadas de salsa de soja
1 1/2 cucharadas de vino de arroz
1 1/2 cucharaditas de azúcar
1 1/2 cucharaditas de aceite de sésamo tostado
350 g de carne magra de cerdo recién picada
1 1/2 cucharadas de aceite de cacahuete o de girasol
2 dientes de ajo grandes, picados
1 guindilla roja grande, o al gusto, despepitada y en rodajas finas
3 cebolletas picadas
cilantro o perejil fresco, picado, para adornar

preparación

1 Deje los tallarines en remojo en agua tibia 20 minutos, hasta que se ablanden, o según las instrucciones del envase. Escúrralos bien y resérvelos.

2 Mientras tanto, ponga la fécula de maíz en un cuenco grande, eche la salsa de soja, el vino de arroz, el azúcar y el aceite de sésamo, y remueva para que no se formen grumos. Incorpore la carne de cerdo y mézclelo todo con las manos, sin aplastar la carne; déjela macerar 10 minutos.

3 Caliente un wok o una sartén grande a fuego vivo. Vierta el aceite de cacahuete o girasol y caliéntelo hasta que esté reluciente. Saltee en él el ajo, la guindilla y la cebolleta durante unos 30 segundos. Eche la carne y el adobo que pueda quedar en el cuenco, y saltéelo 5 minutos o hasta que la carne haya perdido su color rosado. Incorpore los tallarines y mézclelo todo con la ayuda de 2 tenedores. Espolvoree el plato con las hierbas picadas y sírvalo enseguida.

cerdo lo mein

ingredientes

PARA 4-6 PERSONAS

175 g de carne magra de cerdo deshuesada y en tiras
225 g de fideos al huevo
1 1/2 cucharadas de aceite de cacahuete o vegetal
2 cucharaditas de ajo picado
1 cucharadita de jengibre fresco picado
1 zanahoria en juliana
225 g de champiñones en láminas finas
1 pimiento verde en rodajitas
1 cucharadita de sal
125 ml de caldo de pollo
200 g de brotes de soja despuntados
2 cucharadas de cebolleta picada

para el adobo

1 cucharadita de salsa de soja
1 chorrito de aceite de sésamo
1 pizca de pimienta blanca

preparación

1 Mezcle en un cuenco todos los ingredientes del adobo y deje macerar la carne de cerdo un mínimo de 20 minutos.

2 Cueza los fideos según las instrucciones del envase y cuando estén cocidos escúrralos y resérvelos.

3 Caliente 1 cucharadita de aceite en un wok o en una sartén honda precalentada y saltee la carne hasta que cambie de color. Retírela del wok o sartén y resérvela.

4 En la sartén o el wok limpio, caliente el resto del aceite y saltee el ajo y el jengibre hasta que desprendan aroma. Añada la zanahoria y saltéela 1 minuto, a continuación, los champiñones, 1 minuto más. Incorpore el pimiento y saltéelo 1 minuto. Añada la carne de cerdo, la sal y el caldo y caliéntelo todo bien. Por último, incorpore los fideos y después los brotes de soja, y remueva. Esparza la cebolleta picada por encima y sírvalo enseguida.

fideos al estilo de Singapur

ingredientes

PARA 4 PERSONAS

200 g de fideos finos de arroz
1 cucharada de pasta de curry, suave o picante
1 cucharadita de cúrcuma
6 cucharadas de agua
2 cucharadas de aceite de cacahuete o de girasol
1/2 cebolla en rodajitas
2 dientes de ajo grandes en láminas finas
80 g de brécol en ramitos
80 g de judías verdes finas, despuntadas y en trozos de 2,5 cm
80 g de solomillo de cerdo o pechuga de pollo deshuesada, en tiras finas
80 g de gambitas cocidas y peladas, ya descongeladas si las usa congeladas
50 g de col china en tiras finas
1/4 de guindilla ojo de perdiz despepitada y en rodajas finas
2 cebolletas, sólo la parte verde, en tiras finas
cilantro fresco, para adornar

preparación

1 Deje los fideos en remojo en agua tibia durante 20 minutos, hasta que se ablanden, o según las instrucciones del envase. Escúrralos y resérvelos hasta que los necesite. Mientras los fideos están en remojo, ponga la pasta de curry y la cúrcuma en un bol, dilúyalas en 4 cucharadas de agua y reserve la mezcla.

2 Caliente un wok o una sartén grande a fuego vivo, eche el aceite y caliéntelo. Saltee la cebolla y el ajo 1 minuto o hasta que la cebolla se ablande. Incorpore el brécol y las judías con las otras 2 cucharadas de agua y siga salteando unos 2 minutos más. Añada el cerdo o el pollo y prosiga con la cocción 1 minuto. Eche las gambas, la col y la guindilla y siga salteando 2 minutos más, hasta que la carne esté bien cocida y las verduras cocidas pero no muy blandas. Retírelo del wok y resérvelo caliente.

3 Eche la cebolleta, los fideos y la mezcla de curry en el wok. Mézclelo bien y siga salteando 2 minutos, hasta que los fideos estén dorados. Vuelva a poner el resto de los ingredientes en el wok y saltéelo todo junto 1 minuto. Adorne el plato con cilantro fresco.

cerdo agripicante

ingredientes

PARA 4 PERSONAS

50 g de orejas de Judas chinas, secas, remojadas en agua caliente 20 minutos
100 g de mazorquitas de maíz partidas por la mitad a lo largo
2 cucharadas de miel fluida
1 cucharada de pasta de tamarindo
4 cucharadas de agua hirviendo
2 cucharadas de salsa de soja oscura
1 cucharada de vinagre de arroz
2 cucharadas de aceite de cacahuete o de girasol
1 diente de ajo grande picado
1 trozo de jengibre fresco de 1 cm, pelado y picado
1/2 cucharadita de copos de guindilla roja, o al gusto
350 g de solomillo de cerdo en lonchas finas
4 cebolletas en rodajas anchas diagonales
1 pimiento verde, sin semillas ni membrana, en tiras
250 g de fideos hokkien frescos
cilantro fresco, para adornar

preparación

1 Escurra bien las setas remojadas, deseche los tallos leñosos y trocéelas si son grandes. Mientras tanto, en una cazuela grande lleve a ebullición agua ligeramente salada y escalde las mazorquitas 3 minutos. Escúrralas y páselas bajo el chorro de agua fría para detener la cocción; resérvelas.

2 Ponga la miel y la pasta de tamarindo en un bol, eche el agua y remueva hasta que la pasta se haya disuelto. Agregue la salsa de soja y el vinagre de arroz y resérvelo.

3 Caliente un wok o una sartén grande a fuego vivo. Eche el aceite y caliéntelo hasta que esté reluciente. Saltee el ajo, el jengibre y los copos de guindilla durante 30 segundos. Añada la carne y siga salteándolo todo 2 minutos más.

4 Caliente el resto del aceite en el wok. Eche la cebolleta, el pimiento, las setas y las mazorquitas, junto con la mezcla de tamarindo, y saltéelo 2 o 3 minutos más, hasta que la carne esté bien cocida y las verduras tiernas pero no muy blandas. Incorpore los fideos y mézclelo bien con 2 tenedores. Cuando esté caliente, adórnelo con cilantro y sírvalo.

cerdo hoisin con tallarines al ajillo

ingredientes

PARA 4 PERSONAS

250 g de tallarines chinos al huevo, normales o integrales
450 g de solomillo de cerdo en lonchas finas
1 cucharadita de azúcar
1 cucharada de aceite de cacahuete o de girasol
4 cucharadas de vinagre de arroz
4 cucharadas de vinagre de vino blanco
4 cucharadas de salsa hoisin
2 cebolletas en rodajas diagonales
unas 2 cucharadas de aceite de girasol al ajo
2 dientes de ajo grandes en láminas finas
cilantro fresco picado, para adornar

preparación

1 Cueza los tallarines 3 minutos, o según las instrucciones del envase. Escúrralos bien, páselos por agua fría para detener la cocción y vuelva a escurrirlos. Resérvelos.

2 Mientras tanto, espolvoree las lonchas de cerdo con el azúcar. Caliente un wok o una sartén grande a fuego vivo. Caliente el aceite hasta que esté reluciente. Saltee la carne unos 3 minutos hasta que esté cocida y haya perdido el color rosado. Retírela del wok y resérvela caliente. Vierta ambos vinagres en el wok y déjelos hervir hasta que se hayan reducido a unas 5 cucharadas. Agregue la salsa hoisin y la cebolleta, y deje que burbujee hasta que se reduzca a la mitad. Vuelva a poner la carne y remueva.

3 Limpie el wok con papel de cocina y recaliéntelo. Caliente el aceite al ajo hasta que esté reluciente. Eche el ajo y fríalo durante unos 30 segundos, hasta que esté dorado; retírelo con una espumadera y resérvelo.

4 Eche los tallarines en el wok y remuévalos para calentarlos. Repártalos entre 4 platos, ponga encima la carne y la salsa de cebolla, y esparza el ajo frito y cilantro picado.

arroz frito con cerdo y gambas

ingredientes

PARA 4 PERSONAS

3 cucharaditas de aceite de cacahuete o vegetal
1 huevo ligeramente batido
100 g de gambas peladas, sin el hilo intestinal y cortadas en 2 trozos
100 g de cha siu (cerdo asado con miel) picado
2 cucharadas de cebolleta picada
200 g de arroz cocido enfriado en el frigorífico
1 cucharadita de sal

preparación

1 Caliente 1 cucharadita de aceite en un wok o en una sartén honda precalentada y prepare el huevo revuelto. Retírelo y resérvelo.

2 Añada el resto del aceite y saltee las gambas, el cha siu y la cebolleta durante 2 minutos. Incorpore el arroz y la sal, separe los granos del arroz y déjelo cocer unos 2 minutos. Por último, añada el huevo revuelto y sirva el plato enseguida.

ensalada de pato pequinés

ingredientes

PARA 4 PERSONAS

1/2 pato pequinés (*véase* página 86) o 2 pechugas de pato
450 g de fideos hokkien frescos
5 cucharadas de salsa hoisin
5 cucharadas de salsa de ciruelas
1 pepino pequeño
4 cebolletas

preparación

1 Ase las pechugas de pato, si las utiliza, y déjelas enfriar. Retire la piel crujiente del pato y corte ésta y la carne en tiras. Resérvelas por separado.

2 No hará falta cocer los fideos pero sí dejarlos en remojo con agua tibia para que se separen; escúrralos después. Mientras tanto, mezcle las salsas hoisin y de ciruelas en un cuenco grande y eche los fideos cuando estén bien escurridos. Incorpore la piel del pato y remueva.

3 Parta el pepino por la mitad a lo largo, retire las semillas con una cucharita y después córtelo en rodajas finas e incorpórelas a los fideos. Corte las cebolletas en diagonal y añádalas al cuenco. Mezcle los ingredientes con las manos para que queden bien impregnados de la salsa.

4 Pase los fideos a una fuente y disponga la carne de pato encima.

arroz frito con pollo

ingredientes

PARA 4 PERSONAS

- 1/2 cucharadita de aceite de sésamo
- 6 chalotes pelados y en cuartos
- 450 g de carne de pollo cocida en dados
- 3 cucharadas de salsa de soja
- 2 zanahorias en dados
- 1 rama de apio en dados
- 1 pimiento rojo en dados
- 175 g de guisantes frescos
- 100 g de maíz de lata
- 275 g de arroz de grano largo cocido
- 2 huevos grandes batidos

preparación

1 Caliente el aceite en una sartén grande a fuego medio y fría el chalote hasta que esté tierno; a continuación, añada el pollo y 2 cucharadas de la salsa de soja y saltéelo todo de 5 a 6 minutos.

2 Incorpore la zanahoria, el apio, el pimiento, los guisantes y el maíz y saltéelos 5 minutos. Añada el arroz y remueva bien.

3 Agregue el huevo revuelto y la cucharada restante de salsa de soja. Sírvalo enseguida.

fideos agridulces con pollo

ingredientes

PARA 4 PERSONAS

250 g de fideos chinos al huevo de grosor medio
2 cucharadas de aceite de cacahuete o de girasol
1 cebolla en rodajas finas
4 muslos de pollo deshuesados, sin piel y en tiras finas
1 zanahoria pelada y en rodajas semicirculares finas
1 pimiento rojo, sin la membrana ni las semillas y picado
100 g de brotes de bambú de lata (peso escurrido)
50 g de anacardos

para la salsa agridulce

125 ml de agua
1 1/2 cucharadas de arrurruz
4 cucharadas de vinagre de arroz
3 cucharadas de azúcar moreno claro
2 cucharaditas de salsa de soja oscura y 2 de concentrado de tomate
2 dientes de ajo picados
1 trozo de jengibre fresco de 1 cm, pelado y picado
1 pizca de sal

preparación

1 Cueza los fideos 3 minutos, hasta que se ablanden, o según las instrucciones del envase. Escúrralos, páselos por agua fría, vuelva a escurrirlos y resérvelos.

2 Mientras tanto, para preparar la salsa, mezcle el arrurruz con la mitad del agua y resérvelo. Mezcle el resto de los ingredientes de la salsa con el resto del agua en un cazo pequeño y llévelo a ebullición. Agregue la mezcla de arrurruz y siga hirviendo hasta que la salsa esté clara, brillante y espesa. Retírela del fuego y resérvela. (En este punto puede dejar que se enfríe y guardarla en el frigorífico hasta 1 semana.)

3 Caliente un wok o una sartén grande a fuego vivo, eche el aceite y caliéntelo hasta que esté reluciente. Saltee la cebolla 1 minuto. Incorpore el pollo, la zanahoria y el pimiento y siga salteando 3 minutos o hasta que el pollo esté hecho. Añada los brotes de bambú y los anacardos y remueva un poco para que éstos se doren. Eche la salsa en el wok y caliéntela hasta que empiece a burbujear. Incorpore los fideos y mézclelos con el pollo y las verduras.

pollo con verduras

ingredientes

PARA 4 PERSONAS

250 g de fideos chinos al huevo de grosor medio
2 cucharadas de aceite de cacahuete o de girasol
1 diente de ajo grande majado
1 guindilla verde despepitada y en rodajitas
1 cucharada de mezcla china de cinco especias
2 pechugas de pollo deshuesadas y sin piel, en tiras finas
2 pimientos verdes sin la membrana ni semillas, en tiras
120 g de brécol en ramitos
50 g de judías verdes finas, despuntadas y troceadas
5 cucharadas de caldo de verduras o de pollo
2 cucharadas de salsa de ostras
2 cucharadas de salsa de soja
1 cucharada de vino de arroz o jerez seco
100 g de brotes de soja

preparación

1 Cueza los fideos 4 minutos hasta que se hayan ablandado, o según las instrucciones del envase. Escúrralos, páselos por agua fría y vuelva a escurrirlos. Resérvelos

2 Caliente un wok o una sartén grande a fuego vivo. Eche 1 cucharada de aceite y caliéntelo hasta que esté reluciente. Saltee el ajo, la guindilla y la mezcla de especias 30 segundos. Incorpore el pollo y saltéelo 3 minutos o hasta que esté bien hecho. Retírelo con una espumadera y resérvelo.

3 Caliente el resto del aceite en el wok. Saltee el pimiento, el brécol y las judías verdes unos 2 minutos. Vierta el caldo, la salsa de ostras y la de soja y el vino de arroz, y vuelva a poner el pollo en el wok. Continúe salteando otro minuto hasta que el pollo esté caliente y las verduras tiernas pero no muy blandas. Incorpore los fideos y los brotes de soja y mézclelo todo bien con 2 tenedores.

chow mein de pollo

ingredientes

PARA 4 PERSONAS

250 g de fideos chinos al huevo
2 cucharadas de aceite de girasol
280 g de pechuga de pollo cocida en tiras
1 diente de ajo picado
1 pimiento rojo sin semillas y en rodajitas
100 g de setas shiitake en láminas
6 cebolletas en rodajas
100 g de brotes de soja
3 cucharadas de salsa de soja
1 cucharada de aceite de sésamo

preparación

1 Ponga los fideos en un cuenco o una fuente grande y trocéelos ligeramente. Vierta el agua hirviendo suficiente para cubrirlos y déjelos en remojo mientras prepara el resto de los ingredientes.

2 Precaliente un wok a fuego medio, añada el aceite de girasol y agite el wok para recubrirlo bien. Cuando el aceite esté caliente saltee las tiras de pollo, el ajo, el pimiento, las setas, la cebolleta y los brotes de soja unos 5 minutos.

3 Escurra bien los fideos y añádalos al wok, remueva y saltéelos 5 minutos. Rocíe con la salsa de soja y el aceite de sésamo y remueva para mezclar bien los ingredientes.

4 Páselo a boles calientes y sírvalo enseguida.

cestitas de chow mein con pollo

ingredientes

PARA 4 PERSONAS

250 g de tallarines chinos al huevo medianos
aceite de cacahuete o maíz, para freír
6 cucharadas de agua
3 cucharadas de salsa de soja
1 cucharada de fécula de maíz
3 cucharadas de aceite de cacahuete o de girasol
4 muslos de pollo, sin piel, deshuesados y troceados
1 trozo de jengibre fresco de 2,5 cm, pelado y picado
2 dientes de ajo grandes, majados
2 ramas de apio en rodajas finas
100 g de champiñones limpios y en láminas finas

preparación

1 Sumerja unos segundos una espumadera de rejilla grande en el aceite y después extienda en ella 1/4 de los fideos enredados. Sumerja otra espumadera más pequeña en el aceite y colóquela dentro de la anterior. Caliente unos 10 cm de aceite en el wok. Sumerja las espumaderas juntas en el aceite y fría la cestita de fideos 2 o 3 minutos, hasta que esté dorada. Sáquela y déjela escurrir sobre papel de cocina. Retire la cestita de fideos con cuidado. Repita la operación para obtener 3 cestitas más y déjelas enfriar.

2 Disuelva la fécula de maíz en el agua y la salsa de soja en un bol y reserve la mezcla.

3 Caliente un wok o una sartén grande a fuego vivo y caliente 2 cucharadas de aceite. Saltee el pollo unos 3 minutos o hasta que esté bien hecho. Retírelo del wok con una espumadera.

4 Añada el resto del aceite y saltee el jengibre con el ajo y el apio 2 minutos. Incorpore los champiñones y siga salteando 2 minutos más. Retírelos del wok y mézclelos con el pollo.

5 Vierta la mezcla de harina en el wok y llévela a ebullición, removiendo hasta que se espese. Vuelva a poner el pollo y las verduras en el wok y recaliéntelos. Disponga las cestitas de tallarines en 4 platos y reparta el salteado.

ensalada de pollo con sésamo

ingredientes

PARA 4 PERSONAS

200 g de tallarines chinos al huevo
100 g de tirabeques
2 ramas de apio
4 muslos de pollo cocidos y sin piel

para el aliño de sésamo

3 cucharadas de salsa de soja oscura
3 cucharadas de pasta de sésamo china
1/2 cucharada de salsa hoisin
1/2 cucharada de azúcar
1/2-1 cucharada de salsa de guindilla dulce, al gusto
1 cucharadita de vino de arroz
1/2 cucharada de agua hirviendo

preparación

1 Para hacer el aliño, bata la salsa de soja con la pasta de sésamo, la salsa hoisin, el azúcar, la salsa de guindilla y el vino de arroz, después añada el agua hirviendo y siga batiendo hasta que el azúcar se haya disuelto. Deje enfriar el aliño, cúbralo y resérvelo en el frigorífico hasta que lo necesite.

2 Mientras tanto, cueza los tallarines en agua hirviendo 5 minutos, o según las instrucciones del envase. Escúrralos, páselos por agua fría y escúrralos de nuevo. Resérvelos.

3 Con un cuchillo pequeño y afilado corte los tirabeques en tiras alargadas y finas, y el apio en tiras finas. Trocee la carne con las manos. Si no va a servir la ensalada enseguida, cubra el pollo y las verduras, y guárdelos en el frigorífico.

4 Para servir el plato, ponga los tallarines, el pollo, los tirabeques y el apio en una ensaladera. Mézclelo bien y vierta el aliño por encima.

fideos que cruzan el puente

ingredientes

PARA 4 PERSONAS

300 g de fideos chinos finos al huevo
200 g de choi sum o algún otro tipo de col china
2 litros de caldo de pollo
1 trozo de 1 cm de jengibre fresco pelado
1-2 cucharaditas de sal
1 cucharadita de azúcar
1 pechuga de pollo deshuesada y sin piel, en tiras finas diagonales
200 g de filete de pescado blanco, en tiras finas diagonales
1 cucharada de salsa de soja clara

preparación

1 Cueza los fideos según las instrucciones del envase. A continuación, páselos bajo el chorro de agua fría y resérvelos. Escalde el choi sum en una olla con agua hirviendo 30 segundos. Pásela bajo el chorro de agua fría y resérvela.

2 En una cacerola grande, lleve el caldo a ebullición y eche el jengibre, 1 cucharadita de sal y el azúcar. Espume el caldo, añada el pollo y déjelo unos 4 minutos. Incorpore las tiras de pescado y déjelo a fuego suave 4 minutos más o hasta que el pescado y el pollo estén cocidos.

3 Incorpore los fideos y el choi sum, así como la salsa de soja clara, y vuelva a llevarlo a ebullición. Rectifique de sal si fuera necesario. Sirva el plato enseguida, en boles individuales.

arroz cremoso con filete de pescado

ingredientes

PARA 6-8 PERSONAS

225 g de arroz de grano corto
3 litros de agua
200 g de filete de pescado blanco de carne firme, desmenuzado
2 cucharaditas de sal
1/2 cucharadita de pimienta blanca
175 g de lechuga en tiras finas
2 cucharadas de cebolleta en tiras finas
2 cucharadas de jengibre fresco en tiras finas
3 cucharadas de salsa de soja clara, para servir

preparación

1 Lave el arroz y póngalo en una cacerola con el agua, tápelo y cuézalo unas 2 horas, removiendo de vez en cuando.

2 Incorpore el filete de pescado, la sal y la pimienta. Remueva bien, vuelva a llevarlo a ebullición y déjelo cocer unos 2 minutos.

3 Reparta la lechuga, la cebolleta y el jengibre en boles individuales y disponga el arroz cremoso encima. Sazónelo con 1 o 2 cucharaditas de salsa de soja y sírvalo.

chow mein de marisco

ingredientes

PARA 4 PERSONAS

85 g de calamares limpios
3-4 vieiras
85 g de gambas peladas
1/2 clara de huevo batida
2 cucharaditas de harina de maíz, disuelta en 2 1/2 cucharaditas de agua
275 g de fideos de huevo
5-6 cucharadas de aceite vegetal
2 cucharadas de salsa de soja clara
50 g de tirabeques
1/2 cucharadita de sal
1/2 cucharadita de azúcar
1 cucharadita de vino de arroz chino
2 cebolletas picadas
unas gotas de aceite de sésamo

preparación

1 Abra los cuerpos de los calamares, haga unas incisiones en la parte interior en forma de rejilla y trocéelos en cuadraditos. Déjelos en remojo en un cuenco con agua hirviendo hasta que se curven. A continuación, lávelos con agua fría y escúrralos.

2 Corte las vieiras en 3 o 4 trozos y las gambas por la mitad a lo largo. Reboce los trozos de marisco con la clara y la pasta de harina.

3 Cueza los fideos en agua hirviendo, o según las instrucciones del envase. Escúrralos y lávelos bajo el chorro de agua fría. Vuelva a escurrirlos y rocíelos con 1 cucharada de aceite vegetal.

4 Caliente 3 cucharadas de aceite en un wok grande precalentado. Eche los fideos y 1 cucharada de salsa de soja, y sofríalos durante 2 o 3 minutos. Resérvelos.

5 Caliente el resto del aceite en el wok y eche los tirabeques y el marisco. Sofríalo todo unos 2 minutos e incorpore, después, la sal, el azúcar, el vino de arroz, el resto de la salsa de soja y la mitad de la cebolleta. Mézclelo todo bien y añada un chorrito de agua si fuera necesario. Disponga el marisco sobre los fideos y rocíelo con unas gotas de aceite de sésamo. Adorne el plato con el resto de la cebolleta y sírvalo.

arroz frito con cangrejo

ingredientes

PARA 4 PERSONAS

150 g de arroz de grano largo
2 cucharadas de aceite de cacahuete
125 g de carne blanca de cangrejo en conserva, escurrida
1 puerro en rodajas
150 g de brotes de soja
2 huevos batidos
1 cucharada de salsa de soja clara
2 cucharaditas de zumo de lima
1 cucharadita de aceite de sésamo
sal
rodajas de lima, para adornar

preparación

1 Cueza el arroz en una cazuela con agua hirviendo salada 15 minutos. Escúrralo, lávelo bajo el chorro de agua fría y vuelva a escurrirlo.

2 Caliente un wok o una sartén grande de base gruesa, vierta el aceite y caliéntelo hasta que humee. Eche la carne de cangrejo, el puerro y los brotes de soja, y sofríalos durante 2 o 3 minutos. Retire la mezcla del wok con una espumadera y resérvela.

3 Eche el huevo en el wok y déjelo cocer unos 2 o 3 minutos, removiéndolo hasta que empiece a cuajarse. Incorpore el arroz y la mezcla de cangrejo.

4 Vierta la salsa de soja y el zumo de lima. Saltéelo todo 1 minuto, mezclándolo bien. Rocíelo con el aceite de sésamo y remuévalo de nuevo.

5 Pase el arroz frito a una fuente de servir y sírvalo adornado con rodajas de lima.

ensalada china de gambas

ingredientes

PARA 4 PERSONAS

250 g de fideos chinos al huevo
3 cucharadas de aceite de girasol
1 cucharada de aceite de sésamo
1 cucharada de semillas de sésamo
175 g de brotes de soja
1 mango pelado, deshuesado y en rodajas
6 cebolletas en rodajas
75 g de rábanos en rodajas
350 g de gambas cocidas y peladas
2 cucharadas de salsa de soja clara
1 cucharada de jerez

preparación

1 Ponga los fideos en un cuenco refractario y cúbralos con agua hirviendo. Déjelos en remojo 10 minutos, escúrralos bien y séquelos con papel absorbente.

2 Caliente el aceite de girasol en un wok grande precalentado y saltee los fideos durante 5 minutos, agitando el wok con frecuencia.

3 Retire el wok del fuego y eche el aceite y las semillas de sésamo, así como los brotes de soja, y remueva bien.

4 Mezcle el mango con la cebolleta, el rábano, las gambas, la salsa de soja y el jerez en un cuenco aparte. Júntelo con los fideos o bien disponga éstos alrededor del borde de una fuente de servir y apile la mezcla de gambas en el centro. Sírvalo enseguida.

huevos fu yung

ingredientes

PARA 4-6 PERSONAS

2 huevos
1/2 cucharadita de sal
1 pizca de pimienta blanca
1 cucharadita de mantequilla derretida
2 cucharadas de aceite de cacahuete o vegetal
1 cucharadita de ajo picado
1 cebolla pequeña en rodajitas
1 pimiento verde en rodajitas
450 g de arroz cocido enfriado en el frigorífico
1 cucharada de salsa de soja clara
1 cucharada de cebolleta picada
150 g de brotes de soja despuntados
2 gotas de aceite de sésamo

preparación

1 Bata los huevos con la sal y la pimienta. Caliente la mantequilla en una sartén y haga una tortilla. A continuación, retírela de la sartén y córtela en tiras.

2 Caliente el aceite en un wok o en una sartén honda precalentada y saltee el ajo hasta que desprenda aroma. Eche la cebolla y saltéela durante 1 minuto, a continuación, el pimiento y saltéelo otro minuto. Incorpore el arroz y cuando los granos se separen agregue la salsa de soja clara y déjelo en el fuego 1 minuto.

3 Añada la cebolleta y las tiras de tortilla y remueva bien. Por último, incorpore los brotes de soja y el aceite de sésamo. Saltéelo todo durante 1 minuto y sírvalo.

tallarines al estilo de Sichuán

ingredientes

PARA 4 PERSONAS

1 zanahoria grande
250 g tallarines chinos al huevo
2 cucharadas de aceite de cacahuete o de girasol
2 dientes de ajo grandes, picados
1 cebolla roja grande, cortada por la mitad y en rodajas finas
125 ml de caldo de verduras o agua
2 cucharadas de salsa de soja con guindilla
2 cucharadas de pasta de sésamo china
1 cucharada de granos de pimienta de Sichuán, tostados y molidos
1 cucharadita de salsa de soja clara
2 coles chinas pequeñas en cuartos

preparación

1 Pele la zanahoria y recorte las puntas; rállela a lo largo por la parte más gruesa del rallador para obtener tiras largas y finas. Resérvelas.

2 Cueza los tallarines en una cazuela con agua hirviendo 4 minutos, o según las instrucciones del envase. Escúrralos, páselos por agua fría para detener la cocción y resérvelos.

3 Caliente un wok o una sartén grande a fuego vivo. Eche el aceite y caliéntelo hasta que esté reluciente. Saltee el ajo y la cebolla 1 minuto. Agregue el caldo de verduras, la salsa con guindilla, la pasta de sésamo, los granos de pimienta de Sichuán y la salsa de soja, y llévelo todo a ebullición, removiendo para mezclarlo bien. Añada la col china y las tiras de zanahoria y siga salteándolo todo 1 o 2 minutos, hasta que estén tiernas. Incorpore los tallarines y siga salteando, mezclándolo bien con 2 tenedores. Sírvalo enseguida.

ensalada de fideos agripicante

ingredientes

PARA 4 PERSONAS

350 g de fideos finos de arroz
4 cucharadas de aceite de sésamo
3 cucharadas de salsa de soja
el zumo de 2 limas
1 cucharadita de azúcar
4 cebolletas en rodajitas
1-2 cucharaditas de salsa de guindilla
2 cucharadas de cilantro fresco picado

preparación

1 Prepare los fideos según las instrucciones del envase. Escúrralos, páselos a un cuenco y mézclelos con la mitad del aceite.

2 Mezcle en un bol el resto del aceite con la salsa de soja, el zumo de lima, el azúcar, la cebolleta y la salsa de guindilla. Aliñe los fideos con la preparación.

3 Añada el cilantro y sirva la ensalada.

verdura agridulce sobre crepes de fideos

ingredientes

PARA 4 PERSONAS

120 g de fideos de celofán
6 huevos
4 cebolletas en rodajas diagonales
sal y pimienta
$2\frac{1}{2}$ cucharadas de aceite de cacahuete o de girasol
900 g de verduras variadas, como zanahorias, mazorquitas de maíz, coliflor, brécol, tirabeques, cebollas, etc., limpios y cortados en trozos del mismo tamaño
100 g de brotes de bambú de lata, escurridos
200 g de salsa agridulce envasada

preparación

1 Deje los fideos en remojo en agua tibia unos 20 minutos, hasta que se ablanden, o según las instrucciones del envase. Escúrralos y córtelos en trozos de 7,5 cm; resérvelos.

2 Bata los huevos, añada los fideos y la cebolleta, y salpimiente. Caliente una sartén de 20 cm de diámetro a fuego vivo. Eche 1 cucharada de aceite y extiéndalo por la base. Vierta $\frac{1}{4}$ parte de la mezcla de huevo e incline la sartén para que la base quede recubierta. Baje el fuego a la posición media y espere 1 minuto o hasta que haya cuajado. Dele la vuelta y eche un poco más de aceite si fuera necesario. Siga friendo hasta que la crepe se haya cuajado. Resérvela en el horno caliente a baja temperatura mientras prepara las otras 3.

3 Cuando tenga las 4 crepes listas, caliente un wok o una sartén grande a fuego vivo. Vierta $1\frac{1}{2}$ cucharadas de aceite y caliéntelo hasta que esté reluciente. Eche primero las verduras más duras, como la zanahoria, y saltéelas 30 segundos. Vaya añadiendo, poco a poco, el resto de las verduras y los brotes de bambú. Agregue la salsa y déjelo en el fuego hasta que las verduras estén tiernas y la salsa caliente. Disponga las verduras y la salsa sobre las crepes y sírvalas.

arroz frito con huevo y guisantes

ingredientes

PARA 4 PERSONAS

150 g de arroz de grano largo
3 huevos batidos
2 cucharadas de aceite vegetal
2 dientes de ajo machacados
4 cebolletas picadas
125 g de guisantes cocidos
1 cucharada de salsa de soja clara
1 pizca de sal
cebolletas en tiras, para adornar

preparación

1 Cueza el arroz en una cacerola con agua hirviendo de 10 a 12 minutos, hasta que esté casi cocido. Escúrralo bien, páselo bajo el chorro de agua fría y vuelva a escurrirlo.

2 Ponga los huevos batidos en un cazo y haga un revoltillo, removiendo constantemente. Retírelo del fuego y resérvelo.

3 Precaliente un wok a fuego medio, eche el aceite y agite el wok para recubrir bien los costados. Cuando el aceite esté caliente, saltee el ajo con la cebolleta y los guisantes, removiendo de vez en cuando, 1 o 2 minutos.

4 Añada el arroz a la mezcla del wok y remueva. Incorpore los huevos revueltos, la salsa de soja y la sal, y mézclelo todo bien.

5 Pase el arroz a platos individuales y sírvalo adornado con tiras de cebolleta.

tofu especiado

ingredientes

PARA 4 PERSONAS

250 g de tofu consistente, lavado, escurrido y en dados de 1 cm
4 cucharadas de aceite de cacahuete
1 cucharada de jengibre fresco rallado
3 dientes de ajo machacados
4 cebolletas en rodajitas
1 brécol dividido en ramitos
1 zanahoria en juliana
1 pimiento amarillo en tiras
250 g de setas shiitake en láminas finas
arroz al vapor, para acompañar (*véase* pág. 216)

para el adobo

5 cucharadas de caldo de verduras
2 cucharaditas de harina de maíz
2 cucharadas de salsa de soja
1 cucharada de azúcar fino
1 pizca de copos de guindilla

preparación

1 Mezcle todos los ingredientes del adobo en un cuenco y recubra con él los dados de tofu. Déjelo macerar 20 minutos.

2 En una sartén grande o en un wok, caliente 2 cucharadas del aceite de cacahuete y saltee los dados de tofu con el líquido del adobo hasta que esté dorado y crujiente. Retírelo de la sartén y resérvelo.

3 Caliente el aceite de cacahuete restante en la sartén y saltee el jengibre con el ajo y la cebolleta 30 segundos. Añada el brécol, la zanahoria, el pimiento y las setas, y saltéelo todo de 5 a 6 minutos. Vuelva a poner el tofu en la sartén y deje que se caliente. Sírvalo enseguida con arroz al vapor.

guisado de setas y tofu

ingredientes

PARA 4 PERSONAS

50 g de setas chinas secas
120 g de tofu consistente escurrido
2 cucharadas de salsa de guindilla dulce envasada
2 cucharadas de aceite de cacahuete o de girasol
2 dientes de ajo grandes, picados
1 trozo de jengibre fresco de 1 cm, pelado y picado
1 cebolla roja en rodajas
1/2 cucharada de granos de pimienta de Sichuán, ligeramente majados
50 g de hongos de la paja de lata (peso escurrido), enjuagados
caldo de verduras
1 anís estrellado
1 pizca de azúcar
120 g de fideos de celofán
salsa de soja, al gusto

preparación

1 Deje las setas en remojo con agua hirviendo 20 minutos, o hasta que se hayan ablandado. Corte el tofu en dados, mézclelo con la salsa de guindilla, remueva hasta que esté bien recubierto y déjelo macerar.

2 Justo antes de empezar a cocinar, cuele las setas con un colador de tela y reserve el líquido. Caliente el aceite en una cazuela refractaria o una sartén grande con tapa. Eche el ajo y el jengibre y remuévalos 30 segundos. Incorpore la cebolla y los granos de pimienta y siga removiendo hasta que la cebolla esté casi tierna. Añada el tofu, las setas remojadas y los hongos de lata, y remueva con cuidado para no romper el tofu.

3 Agregue a la sartén el líquido reservado y suficiente caldo de verduras o agua para cubrir los ingredientes. Sazone el guisado con el anís estrellado, una pizca de azúcar y unos chorritos de salsa de soja. Llévelo a ebullición, baje el fuego y déjelo cocer 5 minutos. Eche los fideos en la cazuela, tápela y cuézalos unos 5 minutos, o hasta que estén tiernos. Los fideos deberían quedar cubiertos por el líquido, así que añada un poco más de caldo si fuera necesario. Mézclelo todo bien. Añada salsa de soja, si lo prefiere.

verduras
y guarniciones

Aunque no tenga previsto que toda la comida sea oriental, merece la pena preparar las verduras al estilo chino porque conservan todos sus nutrientes, color y sabor. El wok es el utensilio principal y las verduras se cuecen tan rápidamente que mantienen toda su textura. Si no tiene wok puede utilizar una cacerola o una sartén honda de base gruesa. Otro recipiente muy práctico es la cazuela de barro, excelente para estofados: los Hongos de la paja estofados simplemente se deshacen en la boca.

Sin embargo, no todos los platos de verdura son vegetarianos, por ejemplo las Patatas al cilantro llevan un poco de carne de cerdo, y es normal utilizar caldo de pollo para la cocción o añadir salsa de ostras para potenciar el sabor. Si busca algo totalmente vegetariano, las Verduras agridulces con anacardos y el Curry de verduras y coco son opciones deliciosas.

A los chinos les encanta cocinar con verduras. Las Judías verdes salteadas con pimiento rojo, el Salteado de brécol y tirabeques, la Col china salteada y las Espinacas al ajillo son irresistibles y convencerán incluso a la persona más reacia a tomar verduras.

ensalada china de tomate

ingredientes

PARA 4 PERSONAS

2 tomates grandes

para el aliño

1 cucharada de cebolleta picada
1 cucharadita de ajo picado
1/2 cucharadita de aceite de sésamo
1 cucharada de vinagre blanco de arroz
1/2 cucharadita de sal
1 pizca de pimienta blanca
1 pizca de azúcar

preparación

1 Mezcle bien todos los ingredientes del aliño y resérvelo.

2 Corte los tomates en rodajas finas, dispóngalas en una fuente de servir y alíñelos. Sírvalos enseguida.

col y pepino con vinagreta

ingredientes

PARA 4 PERSONAS

225 g de col china en tiras muy finas
1 cucharadita de sal
1 pepino pelado, sin semillas y en juliana
1 cucharadita de aceite de sésamo
2 cucharadas de vinagre blanco de arroz
1 cucharadita de azúcar

preparación

1 Sale la col y déjela reposar como mínimo 10 minutos. Escúrrala si fuera necesario y mézclela con el pepino.

2 Bata el aceite de sésamo con el vinagre y el azúcar y aliñe las verduras. Sírvalo enseguida.

salteado clásico de verduras

ingredientes

PARA 4 PERSONAS

3 cucharadas de aceite de sésamo
6 cebolletas troceadas finas y otras 2, también troceadas finas, para adornar
1 diente de ajo machacado
1 cucharada de jengibre fresco rallado
1 brécol dividido en ramitos
1 pimiento naranja o amarillo, troceado
125 g de col lombarda en tiras finas
125 g de mazorquitas de maíz
175 g de champiñones Portobello o algún otro tipo de setas de sombrero ancho, cortados en láminas finas
200 g de brotes de soja frescos
250 g de castañas de agua de lata, escurridas
4 cucharaditas de salsa de soja, o al gusto
arroz salvaje cocido, para acompañar

preparación

1 Caliente 2 cucharadas de aceite en una sartén grande o wok a fuego vivo. Saltee las 6 cebolletas picadas con el ajo y el jengibre durante 30 segundos.

2 Incorpore el brécol, el pimiento y la col lombarda y saltéelo 1 o 2 minutos. Eche las mazorquitas de maíz y los champiñones y déjelo en el fuego 1 o 2 minutos más.

3 Añada los brotes de soja y las castañas de agua y déjelos cocer 2 minutos. Vierta la salsa de soja y remueva bien.

4 Sirva el salteado enseguida sobre el arroz salvaje cocido y adornado con el resto de la cebolleta.

verduras agridulces con anacardos

ingredientes

PARA 4 PERSONAS

1 cucharada de aceite de cacahuete o vegetal
1 cucharadita de aceite de guindilla
2 cebollas en rodajas
2 zanahorias en rodajitas
2 calabacines en rodajitas
120 g de brécol dividido en ramitos
120 g de champiñones blancos en láminas
120 g de bok choy pequeño partido por la mitad
2 cucharadas de azúcar de palma o moreno
2 cucharadas de salsa de soja tailandesa
1 cucharada de vinagre de arroz
50 g de anacardos

preparación

1 Caliente ambos aceites en un wok o en una sartén precalentada y saltee la cebolla 1 o 2 minutos, hasta que empiece a estar tierna.

2 Eche la zanahoria, el calabacín y el brécol y saltéelos unos 2 o 3 minutos. Añada los champiñones, el bok choy, el azúcar, la salsa de soja y el vinagre, y déjelo en el fuego un par de minutos más.

3 Mientras tanto, caliente una sartén de base gruesa a fuego vivo y tueste los anacardos, agitando con frecuencia la sartén, hasta que estén ligeramente dorados. Espárzalos sobre las verduras y sirva el plato enseguida.

curry de verduras y coco

ingredientes

PARA 4 PERSONAS

1 cebolla picada gruesa
3 dientes de ajo en láminas finas
1 trozo de 2,5 cm de jengibre fresco, en rodajitas
2 guindillas verdes frescas, sin semillas y picadas
1 cucharada de aceite vegetal
1 cucharadita de cúrcuma molida
1 cucharadita de cilantro molido
1 cucharadita de comino molido
1 kg de verduras variadas, como coliflor, calabacín, patata, zanahoria y judías verdes, troceadas
200 g de crema o leche de coco
sal y pimienta
2 cucharadas de cilantro fresco picado, para adornar
arroz recién cocido, para acompañar

preparación

1 Ponga la cebolla, el ajo, el jengibre y la guindilla en el robot de cocina y tritúrelos hasta formar un puré suave.

2 Caliente el aceite en una sartén grande de base gruesa a fuego medio-alto y fría el puré de cebolla 5 minutos, sin dejar de remover.

3 Añada la cúrcuma, el cilantro y el comino molidos y déjelos 3 o 4 minutos, removiendo con frecuencia. Incorpore las verduras y remueva para que queden bien recubiertos.

4 Vierta la crema o leche de coco, tape la sartén y déjelo cocer a fuego suave de 30 a 40 minutos, hasta que la verdura esté tierna.

5 Salpimiente el curry, adórnelo con el cilantro y sírvalo acompañado con arroz.

無

judías verdes salteadas con pimiento rojo

ingredientes

PARA 4 PERSONAS

400 g de judías verdes en trozos medianos
1 cucharada de aceite de cacahuete o vegetal
1 pimiento rojo en tiras finas
1 pizca de sal
1 pizca de azúcar

preparación

1 Escalde las judías en una olla con agua hirviendo durante 30 segundos. Escúrralas y resérvelas.

2 Caliente el aceite en un wok o en una sartén honda precalentada y saltee las judías durante 1 minuto a fuego vivo. Añada el pimiento y saltéelo otro minuto. Sazone la verdura con la sal y el azúcar y sírvala.

judías verdes picantes

ingredientes

PARA 4 PERSONAS

400 g de judías verdes despuntadas y troceadas en diagonal
2 cucharadas de aceite de cacahuete o vegetal
4 guindillas secas cortadas en 2-3 trozos
1/2 cucharadita de granos de pimienta de Sichuán
1 diente de ajo en láminas finas
6 rodajitas de jengibre fresco
2 cebolletas, sólo la parte blanca, en rodajitas diagonales
1 pizca de sal marina

preparación

1 Escalde las judías en una olla con agua hirviendo durante 30 segundos. Escúrralas y resérvelas.

2 Caliente 1 cucharada de aceite en un wok o en una sartén honda precalentada y saltee las judías a fuego suave 5 minutos o hasta que empiecen a estar tiernas. Retírelas del wok y resérvelas.

3 Eche en el wok el resto del aceite y saltee la guindilla y los granos de pimienta hasta que desprendan aroma. Incorpore el ajo, el jengibre y la cebolleta y saltéelos hasta que empiecen a estar tiernos. Añada las judías verdes y remueva, sazone con sal y sirva el plato enseguida.

brécol salteado

ingredientes

PARA 4 PERSONAS

- 2 cucharadas de aceite vegetal
- 2 brécoles medianos divididos en ramitos
- 2 cucharadas de salsa de soja
- 1 cucharadita de fécula de maíz
- 1 cucharada de azúcar fino
- 1 cucharadita de jengibre fresco rallado
- 1 diente de ajo machacado
- 1 pizca de copos de guindilla
- 1 cucharadita de semillas de sésamo tostadas, para adornar

preparación

1 Caliente el aceite en una sartén grande o un wok, hasta que casi humee. Saltee el brécol de 4 a 5 minutos.

2 Mezcle en un bol la salsa de soja con la fécula de maíz, el azúcar, el jengibre, el ajo y los copos de guindilla. Eche la mezcla en el wok con el brécol y déjelo cocer a fuego suave 2 o 3 minutos, sin dejar de remover, hasta que la salsa se haya espesado ligeramente.

3 Páselo a una fuente de servir, esparza las semillas de sésamo por encima y sírvalo.

salteado de brécol y tirabeques

ingredientes

PARA 4 PERSONAS

2 cucharadas de aceite de cacahuete o vegetal
1 chorrito de aceite de sésamo
1 diente de ajo picado
225 g de brécol dividido en ramitos
120 g de tirabeques despuntados
225 g de col china en tiras de 1 cm de ancho
5-6 cebolletas picadas
1/2 cucharadita de sal
2 cucharadas de salsa de soja clara
1 cucharada de vino de arroz de Shaoxing
1 cucharadita de semillas de sésamo, ligeramente tostadas

preparación

1 Caliente ambos aceites en un wok o en una sartén honda precalentada y saltee el ajo a fuego vivo. Eche todas las verduras y la sal, y saltéelo a fuego vivo, removiendo con rapidez, unos 3 minutos.

2 Vierta la salsa de soja y el vino de arroz y déjelo cocer 2 minutos más. Esparza por encima las semillas de sésamo y sírvalo.

col china con salsa de ostras

ingredientes

PARA 4 PERSONAS

400 g de choi sum

1 cucharada de aceite de cacahuete o vegetal

1 cucharadita de ajo picado

1 cucharada de salsa de ostras

preparación

1 Escalde el choi sum en una olla con agua hirviendo 30 segundos. Escúrralo y resérvelo.

2 Caliente el aceite en un wok o en una sartén honda precalentada y saltee el ajo hasta que desprenda aroma. Añada la col china y remueva durante 1 minuto. Rocíela con la salsa de ostras y sírvala.

col china salteada

ingredientes

PARA 4 PERSONAS

1 cucharada de aceite de cacahuete o vegetal
1 cucharadita de ajo picado
400 g de algún tipo de col china con mucha hoja, picada gruesa
1/2 cucharadita de sal

preparación

1 Caliente el aceite en un wok o en una sartén honda precalentada y saltee el ajo hasta que desprenda aroma.

2 Incorpore la col china y la sal, y saltéela a fuego vivo como máximo 1 minuto. Sírvala enseguida.

col agripicante

ingredientes

PARA 4 PERSONAS

450 g de col blanca
1 cucharada de aceite de cacahuete o vegetal
10 granos, o más, de pimienta de Sichuán
3 guindillas secas picadas gruesas
1/2 cucharadita de sal
1 cucharadita de vinagre blanco de arroz
1 chorrito de aceite de sésamo
1 pizca de azúcar

preparación

1 Para preparar la col, deseche las hojas exteriores y los tallos más duros. Córtela primero en trozos de 3 cm y después separe las diferentes capas con los dedos. Lávela bien en agua fría.

2 Caliente el aceite en un wok o en una sartén honda precalentada y fría los granos de pimienta hasta que desprendan aroma. Añada la guindilla. Incorpore la col, poco a poco, sálela y saltéela durante 2 minutos.

3 Agregue el vinagre, el aceite de sésamo y el azúcar, y siga salteando la col 1 minuto más, hasta que esté tierna. Sírvala enseguida.

espinacas al ajillo

ingredientes

PARA 4 PERSONAS

6 cucharadas de aceite vegetal
6 dientes de ajo machacados
2 cucharadas de salsa de habichuelas negras
3 tomates picados gruesos
900 g de espinacas sin los tallos más duros y troceadas
1 cucharadita de salsa de guindilla, o al gusto
2 cucharadas de zumo de limón recién exprimido
sal y pimienta

preparación

1 Caliente el aceite en un wok o en una sartén honda precalentada, eche el ajo, la salsa de habichuelas y el tomate, y saltéelos 1 minuto.

2 Incorpore las espinacas, la salsa de guindilla y el zumo de limón, y remueva bien. Déjelo cocer 3 minutos, removiendo con frecuencia, o hasta que las espinacas empiecen a estar tiernas. Salpiméntelas, retírelas del fuego y sírvalas enseguida.

patatas al cilantro

ingredientes

PARA 6-8 PERSONAS

4 patatas peladas y troceadas gruesas
aceite de cacahuete o vegetal, para freír
100 g de carne de cerdo, no muy magra, troceada fina
1 pimiento verde picado grueso
1 cucharada de cebolleta picada gruesa, sólo la parte blanca
2 cucharaditas de sal
1/2 cucharadita de pimienta blanca
1 pizca de azúcar
2-3 cucharadas del agua cocción de las patatas
2 cucharadas de hojas de cilantro picadas

preparación

1 Cueza las patatas en una olla con agua hirviendo de 15 a 25 minutos, o hasta que estén tiernas. Escúrralas y reserve un poco del agua de cocción.

2 En un wok o en una sartén honda, caliente abundante aceite y fría las patatas hasta que estén doradas. Escúrralas y resérvelas.

3 En el wok o en una sartén honda, caliente 1 cucharada de aceite y saltee la carne de cerdo, el pimiento y la cebolleta 1 minuto. Sazone con la sal, la pimienta y el azúcar y siga salteando 1 minuto más.

4 Incorpore los trozos de patata y el agua de la cocción. Déjelo 2 o 3 minutos, hasta que las patatas estén bien calientes. Apague el fuego, esparza el cilantro y sirva el plato.

berenjena al estilo de Sichuán

ingredientes

PARA 4 PERSONAS

- aceite de cacahuete o vegetal
- 4 berenjenas partidas por la mitad a lo largo y cortadas en trozos diagonales de 5 cm
- 1 cucharada de salsa de soja con guindilla
- 2 cucharaditas de jengibre fresco picado
- 2 cucharaditas de ajo picado
- 2-3 cucharadas de caldo de pollo
- 1 cucharadita de azúcar
- 1 cucharadita de salsa de soja clara
- 3 cebolletas picadas

preparación

1 Caliente el aceite en un wok o en una sartén honda precalentada y fría los trozos de berenjena de 3 a 4 minutos, hasta que estén ligeramente dorados. Escúrralos sobre papel absorbente y resérvelos.

2 En el wok o en una sartén honda, caliente 2 cucharadas de aceite, eche la salsa de soja con guindilla y remueva rápidamente. Añada el jengibre y el ajo y remueva hasta que desprendan aroma. Agregue el caldo, el azúcar y la salsa de soja. Por último, incorpore la berenjena y déjelo todo a fuego suave 2 minutos. Esparza la cebolleta por encima y sirva el plato.

berenjena con pimiento rojo

ingredientes

PARA 4 PERSONAS

3 cucharadas de aceite de cacahuete o vegetal
1 diente de ajo picado
3 berenjenas partidas por la mitad a lo largo y cortadas en trozos diagonales de 2,5 cm
1 cucharadita de vinagre blanco de arroz
1 pimiento rojo en rodajitas
2 cucharadas de salsa de soja clara
1 cucharadita de azúcar
1 cucharada de hojas de cilantro picadas, para adornar

preparación

1 Caliente el aceite en un wok o en una sartén honda precalentada y cuando empiece a humear eche el ajo y saltéelo hasta que desprenda aroma. Incorpore la berenjena, saltéela unos 30 segundos y, a continuación, vierta el vinagre. Baje el fuego, tape la sartén y déjelo cocer 5 minutos, removiendo de vez en cuando.

2 Cuando la berenjena esté tierna, añada el pimiento y remueva. Agregue la salsa de soja clara y el azúcar y déjelo cocer, sin tapar, 2 minutos.

3 Apague el fuego y déjelo reposar 2 minutos. Pase la mezcla a una fuente, adórnela con el cilantro y sirva el plato.

setas de cardo y verduras con salsa de guindilla y cacahuete

ingredientes

PARA 4 PERSONAS

1 cucharada de aceite de sésamo
4 cebolletas en rodajitas
1 zanahoria en juliana
1 calabacín en juliana
1/2 brécol dividido en ramitos
450 g de setas de cardo en láminas finas
2 cucharadas de mantequilla de cacahuete crujiente
1 cucharadita de guindilla molida, o al gusto
3 cucharadas de agua
arroz o fideos cocidos, para acompañar
gajos de lima, para adornar

preparación

1 Caliente el aceite en un wok o en una sartén honda hasta que casi humee. Saltee la cebolleta 1 minuto. Eche la zanahoria y el calabacín y saltéelos 1 minuto más. A continuación, añada el brécol y déjelo otro minuto.

2 Incorpore las setas y déjelas cocer hasta que estén tiernas y como mínimo la mitad del jugo que suelten se haya consumido. Añada la mantequilla de cacahuete y remueva bien. Sazone con la guindilla. Por último, Vierta el agua y déjelo cocer todo 1 minuto más.

3 Sirva el plato sobre arroz o fideos y adornado con los gajos de lima.

hongos de la paja estofados

ingredientes

PARA 4 PERSONAS

1 cucharada de aceite de cacahuete o vegetal
1 cucharadita de ajo picado
175 g de hongos de la paja limpios y enteros
2 cucharaditas de habichuelas negras fermentadas, enjuagadas y ligeramente machacadas
1 cucharadita de azúcar
1 cucharada de salsa de soja clara
1 cucharadita de salsa de soja oscura

preparación

1 Caliente el aceite en una cazuela de barro y fría el ajo hasta que desprenda aroma. Eche las setas y remueva para que queden bien recubiertas de aceite.

2 Añada las habichuelas, el azúcar y las salsas de soja, baje la temperatura, cubra la cazuela y déjelo a fuego suave 10 minutos o hasta que las setas estén tiernas.

brotes de bambú con tofu

ingredientes

PARA 4-6 PERSONAS

3 setas chinas secas, remojadas en agua caliente 20 minutos
2 bok choy pequeños
aceite de cacahuete o vegetal, para freír
450 g de tofu consistente en dados de 2,5 cm
50 g de brotes de bambú frescos o de lata, enjuagados (si los utiliza frescos cuézalos primero en agua hirviendo 30 minutos)
1 cucharadita de salsa de ostras
1 cucharadita de salsa de soja clara

preparación

1 Estruje las setas para eliminar el exceso de agua y córtelas en láminas finas, desechando los tallos leñosos. Escalde el bok choy en una olla con agua hirviendo 30 segundos. Escúrrala y resérvela.

2 Caliente aceite en un wok, freidora o sartén grande de base gruesa a 180-190 °C, o hasta que un dado de pan se dore en 30 segundos. Fría los dados de tofu hasta que estén dorados. Retírelos, déjelos escurrir sobre papel absorbente y resérvelos.

3 Caliente 1 cucharada de aceite en un wok o en una sartén honda precalentada y saltee las setas y el bok choy. Añada el tofu y los brotes de bambú, junto con la salsa de ostras y la de soja. Caliéntelo bien y sírvalo.

brotes de soja salteados

ingredientes

PARA 4 PERSONAS

1 cucharada de aceite de cacahuete o vegetal
400 g de brotes de soja despuntados
2 cucharadas de cebolleta picada
1/2 cucharadita de sal
1 pizca de azúcar

preparación

1 Caliente el aceite en un wok o en una sartén honda precalentada y saltee los brotes de soja con la cebolleta 1 minuto. Añada la sal y el azúcar y remuévalo todo.

2 Retírelo del fuego y sírvalo enseguida.

arroz frito con huevo

ingredientes

PARA 4 PERSONAS

2 cucharadas de aceite de cacahuete o vegetal
400 g de arroz cocido enfriado en el frigorífico
1 huevo bien batido

preparación

1 Caliente el aceite en un wok o en una sartén honda precalentada y saltee el arroz 1 minuto, separando los granos todo lo que sea posible.

2 Añada rápidamente el huevo, removiendo, para que recubra bien el arroz. Remueva hasta que el huevo esté cuajado y los granos de arroz bien sueltos. Sirva el arroz enseguida.

arroz blanco al vapor

ingredientes

PARA 3-4 PERSONAS

225 g de arroz

agua fría

preparación

1 Lave el arroz y póngalo en una cacerola con el mismo volumen de agua y un poco más (el agua debería simplemente cubrir el arroz). Llévelo a ebullición, cúbralo y déjelo a fuego lento unos 15 minutos.

2 Apague el fuego y deje que el arroz se siga cociendo en su propio vapor 5 minutos. Transcurrido este tiempo, los granos deberían quedar cocidos y sueltos.

postres

Si el punto álgido de la visita a su restaurante chino favorito es cuando el camarero le trae un plato de Buñuelos de plátano o unas Rodajas de manzana caramelizadas, entonces éste es su capítulo.

En la auténtica cocina china todas las cosas dulces que en Occidente llamamos «postres» o bien se comen aparte de la comida o se sirven como parte integrante de la comida en cuanto están preparadas. También los consumen entre horas, cuando les apetece algo para picar. Los dulces horneados, como las Galletas de almendra, son de aparición reciente en su repertorio, ya que las cocinas chinas tradicionalmente no disponían de horno. La fruta de temporada, quizá con un poquito de azúcar añadido, es el postre más popular de China: la Macedonia con zumo de limón es sencilla pero refrescante y queda muy atractiva si la prepara con diferentes tipos de melón. Para una receta a base de fruta más sofisticada, la Crema de mango fusiona con éxito Oriente y Occidente.

Los postres chinos de arroz y leche se preparan con arroz glutinoso, que se deja en remojo un par de horas antes de cocerlo. Como remate de una comida china especial, el Pastel de arroz ocho tesoros, con capas de fruta seca y pasta de soja dulce, no sólo complacerá a su paladar, sino que le traerá suerte.

peras con almíbar de miel

ingredientes

PARA 4 PERSONAS

4 peras medio maduras de pulpa consistente
200 g de agua
1 cucharadita de azúcar
1 cucharada de miel

preparación

1 Pele las peras, dejando el rabillo intacto. Envuélvalas por separado en papel de aluminio y colóquelas en una cacerola tumbadas. Vierta el agua suficiente para cubrir al menos la mitad de su altura. Llévelo a ebullición y cuézalas a fuego lento durante 30 minutos. A continuación, sáquelas de la cacerola y con cuidado retire el papel de aluminio, reservando el jugo. Déjelas enfriar.

2 Lleve el agua medida a ebullición, añada el jugo que pueda haber quedado de la cocción, el azúcar y la miel y deje que hierva durante 5 minutos. Retírelo del fuego y déjelo enfriar un poco.

3 Disponga cada pera en un platito individual, vierta el almíbar por encima y sírvalas tibias.

macedonia con zumo de limón

ingredientes

PARA 4-8 PERSONAS

450 g de varios tipos de melón, cortados en dados o bolas
2 cucharadas de azúcar
2 plátanos cortados en rodajitas finas diagonales
el zumo de 1 limón

preparación

1 En una ensaladera espolvoree los trozos de melón con el azúcar.

2 Pase las rodajitas de plátano por el zumo de limón y mézclelas con el melón. Sirva la macedonia enseguida.

crema de mango

ingredientes

PARA 6 PERSONAS

25 g de sagú, remojado en agua un mínimo de 20 minutos
250 ml de agua caliente
2 cucharadas de azúcar
1 mango grande y maduro de unos 280 g
200 g de nata para montar
1 cucharada de gelatina en polvo, disuelta en 250 ml de agua caliente

preparación

1 Ponga el sagú escurrido y el agua caliente en un cazo. Llévelo a ebullición, cúbralo y déjelo a fuego suave 10 minutos, removiendo con frecuencia, hasta que se haya espesado. Añada el azúcar y déjelo enfriar.

2 Pele el mango, deshuéselo y trocee la pulpa. Tritúrela en el robot de cocina o batidora y añádale la nata y después la gelatina.

3 Mézclelo todo bien, pase la crema a 6 vasos o boles y déjela enfriar en el frigorífico hasta que se haya cuajado.

plátano caramelizado

ingredientes

PARA 4 PERSONAS

70 g de harina leudante
1 huevo batido
5 cucharadas de agua helada
4 plátanos grandes y maduros
3 cucharadas de zumo de limón
2 cucharadas de harina de arroz
aceite vegetal, para freír

para el caramelo

120 g de azúcar fino
4 cucharadas de agua helada, y un cuenco con agua helada para solidificar el caramelo
2 cucharadas de semillas de sésamo

preparación

1 Tamice la harina leudante sobre un bol, haga un hueco en el centro, eche el huevo y 5 cucharadas de agua helada, y mézclelo bien hasta obtener una pasta suave.

2 Pele los plátanos y córtelos en trozos de 5 cm. Vaya dándoles forma redondeada con las manos. Páselos por el zumo de limón para evitar que se ennegrezcan y rebócelos con la harina de arroz.

3 Caliente abundante aceite en una sartén honda a 180-190 °C, o hasta que un dado de pan se dore en 30 segundos. Reboce las bolitas de plátano con la pasta de harina y fríalas, por tandas, en el aceite caliente, unos 2 minutos, hasta que estén doradas. Retírelas y déjelas escurrir sobre papel absorbente.

4 Para hacer el caramelo, ponga el azúcar en un cazo a fuego suave. Vierta 4 cucharadas de agua helada y caliéntelo, removiendo, hasta que el azúcar se disuelva. Déjelo a fuego lento 5 minutos, retírelo del fuego y añada las semillas de sésamo. Reboce las bolitas de plátano con el caramelo, retírelas del cazo y déjelas caer en el cuenco de agua helada para que el caramelo se solidifique. Sirva el plátano caramelizado caliente.

buñuelos de plátano

ingredientes

PARA 4 PERSONAS

70 g de harina de trigo
2 cucharadas de harina de arroz
1 cucharada de azúcar fino
1 huevo, la yema separada de la clara
150 ml de leche de coco
4 plátanos grandes
aceite de girasol, para freír
1 cucharadita de azúcar glas,
1 cucharadita de canela molida y gajos de lima, para adornar

preparación

1 Tamice las harinas y el azúcar sobre un cuenco y haga un hueco en el centro. Eche la yema de huevo y la leche de coco. Bátalo hasta obtener una pasta suave y espesa.

2 Bata la clara de huevo a punto de nieve en un bol limpio. Con suavidad, añádala a la pasta del rebozado.

3 Caliente abundante aceite en una sartén honda a 180-190 °C, o hasta que un dado de pan se dore en 30 segundos. Pele los plátanos, córtelos en trozos medianos a lo ancho y rebócelos con la pasta de harina.

4 Deje caer suavemente los plátanos en el aceite caliente y fríalos, por tandas, durante 2 o 3 minutos, hasta que estén dorados, dándoles la vuelta una vez.

5 Escúrralos sobre papel absorbente. Espolvoréelos con azúcar glas y canela y sírvalos enseguida adornados con gajos de lima para rociar por encima.

rodajas de manzana caramelizadas

ingredientes

PARA 4 PERSONAS

4 manzanas peladas, sin el corazón y cortadas en rodajas gruesas
aceite de cacahuete o vegetal, para freír

para el rebozado

120 g de harina
1 huevo batido
125 ml de agua fría

para el almíbar

4 cucharadas de aceite de sésamo
225 g de azúcar
2 cucharadas de semillas de sésamo tostadas

preparación

1 Para preparar el rebozado, tamice la harina y añada el huevo. Vaya añadiendo el agua, poco a poco, batiendo hasta obtener una pasta suave y espesa. Reboce las rodajas de manzana.

2 Caliente abundante aceite en una sartén honda a 180-190 °C, o hasta que un dado de pan se dore en 30 segundos. Fría las rodajas de manzana hasta que estén doradas. Escúrralas y resérvelas.

3 Para hacer el almíbar, caliente el aceite de sésamo en un cazo de base gruesa y cuando empiece a humear eche el azúcar y remueva hasta que el caramelo esté dorado. Retírelo del fuego, añada las semillas de sésamo y échelo en una sartén grande y llana.

4 A fuego muy suave vaya poniendo las rodajas de manzana en el caramelo, dándoles la vuelta una vez. Una vez recubiertas, sumérjalas una a una en agua fría. Sírvalas enseguida.

gelatina de almendra con almíbar de jengibre

ingredientes

PARA 6-8 PERSONAS

para la gelatina

1 litro de agua
5 g de agaragar
225 g de azúcar
125 ml de leche evaporada
1 cucharadita de esencia de almendra

para el almíbar de jengibre

100 g de jengibre fresco picado grueso
1 litro de agua
50 g de azúcar moreno

preparación

1 Para preparar la gelatina, lleve el agua a ebullición, eche el agaragar y remueva hasta que se haya disuelto. Incorpore el azúcar.

2 Cuele la mezcla sobre una fuente llana e incorpore la leche evaporada, sin dejar de remover. Cuando se haya enfriado un poco, vierta la esencia de almendra y déjelo enfriar en el frigorífico.

3 Para hacer el almíbar, hierva el jengibre con el agua y el azúcar en un cazo tapado durante 1 1/2 horas, o hasta que adquiera un color dorado. A continuación, deseche el jengibre.

4 Corte la gelatina en trocitos y colóquelos en boles individuales. Vierta el almíbar de jengibre por encima, frío o caliente, y sirva el postre.

pastel de arroz ocho tesoros

ingredientes

PARA 6-8 PERSONAS

225 g de arroz glutinoso remojado en agua fría como mínimo 2 horas
100 g de azúcar
2 cucharadas de manteca de repostería o margarina
2 kumquats secos picados
3 ciruelas pasa picadas
5 dátiles secos remojados en agua caliente 20 minutos y después picados finos
1 cucharadita de pasas
12 semillas de loto (si las utiliza secas, déjelas primero en remojo en agua caliente como mínimo 1 hora)
100 g de pasta de soja roja dulce

preparación

1 Cueza el arroz glutinoso al vapor durante unos 20 minutos o hasta que esté tierno. Resérvelo. Una vez frío, incorpore con las manos el azúcar y la manteca, hasta formar una masa pegajosa.

2 Disponga la fruta seca y las semillas en la base de un cuenco transparente refractario. Reparta por encima la mitad del arroz, presione bien y alise la superficie.

3 Extienda la pasta de soja roja dulce sobre el arroz y forme otra capa con el arroz restante. Presione y alise la superficie.

4 Cueza el pastel al vapor 20 minutos y déjelo enfriar ligeramente. Desmóldelo sobre una fuente y sírvalo.

pudin invernal de arroz con fruta seca

ingredientes

PARA 6-8 PERSONAS

1 cucharada de cacahuetes
1 cucharada de piñones
1 cucharada de semillas de loto
225 g de fruta seca variada (pasas, albaricoques, ciruelas, dátiles, etc.)
2 litros de agua
120 g de azúcar
225 g de arroz glutinoso remojado en agua fría como mínimo 2 horas

preparación

1 Deje los cacahuetes, los piñones y las semillas de loto en remojo, en un bol con agua fría, como mínimo 1 hora. Deje también la fruta seca en remojo, según sea necesario. Corte la fruta más grande en trocitos.

2 Lleve el agua a ebullición en una cacerola, eche el azúcar y remueva hasta que se haya disuelto. Incorpore el arroz escurrido, la fruta seca, los frutos secos y las semillas de loto, y vuelva a llevarlo a ebullición. Tape la cacerola y cuézalo a fuego muy lento 1 hora, removiendo con frecuencia.

galletas de almendra

ingredientes

PARA UNAS 50 UNIDADES

675 g de harina
1/2 cucharadita de levadura en polvo
1/2 cucharadita de sal
100 g de almendra laminada
225 g de manteca de repostería o margarina, en daditos
225 g de azúcar
1 huevo ligeramente batido
1 1/2 cucharaditas de esencia de almendra
50 almendras enteras, para adornar (opcional)

preparación

1 Tamice juntas la harina, la levadura en polvo y la sal y resérvelas.

2 Triture la almendras en la picadora, añada la mezcla de harina y bata hasta que esté todo bien mezclado.

3 Pase la mezcla de harina y almendra a un cuenco, añada la manteca y trabájela con los dedos hasta que adquiera la consistencia de pan rallado. Incorpore el azúcar, el huevo y el esencia de vainilla y mézclelo hasta que la masa esté suave y flexible pero todavía firme al tacto.

4 Divida la masa en bolas del tamaño de una nuez. Dispóngalas espaciadas en la bandeja del horno y aplánelas con el dorso de una cuchara para formar círculos. Presione una almendra entera en el centro de cada galleta, si lo desea.

5 Precaliente el horno a 160 °C y hornee las galletas de 15 a 18 minutos, hasta que empiecen a dorarse. Sáquelas del horno y déjelas enfriar sobre una rejilla metálica.

tabla **de** equivalencias

Las equivalencias exactas de la siguiente tabla han sido redondeadas por conveniencia.

medidas de líquidos/sólidos

sistema imperial (EE UU)	sistema métrico
1/4 de cucharadita	1,25 mililitros
1/2 cucharadita	2,5 mililitros
3/4 de cucharadita	4 mililitros
1 cucharadita	5 mililitros
1 cucharada (3 cucharaditas)	15 mililitros
1 onza (de líquido)	30 mililitros
1/4 de taza	60 mililitros
1/3 de taza	80 mililitros
1/2 taza	120 mililitros
1 taza	240 mililitros
1 pinta (2 tazas)	480 mililitros
1 cuarto de galón (4 tazas)	950 mililitros
1 galón (4 cuartos)	3,84 litros
1 onza (de sólido)	28 gramos
1 libra	454 gramos
2,2 libras	1 kilogramo

temperatura del horno

farenheit	celsius	gas
225	110	1/4
250	120	1/2
275	140	1
300	150	2
325	160	3
350	180	4
375	190	5
400	200	6
425	220	7
450	230	8
475	240	9

longitud

sistema imperial (EE UU)	sistema métrico
1/8 de pulgada	3 milímetros
1/4 de pulgada	6 milímetros
1/2 pulgada	1,25 centímetros
1 pulgada	2,5 centímetros